D0280288

CEFN GWLAD

DAI JONES

Gwasg
Gwynedd

Argraffiad Cyntaf — Tachwedd 2002

ISBN 0 86074 195 8

Cyhoeddwyd dan drwydded i S4C
Cynhyrchir y cyfresi *Cefn Gwlad*
gan HTV Cyf. i S4C

*Cyhoeddwyd ac Argraffwyd
gan Wasg Gwynedd, Caernarfon*

DAI JONES

Yr ymbelydrol ebolyn – a darn
O gadernid gwerin;
Y clên, fythol fachgennyn,
Rho awr o naws yr hen win!

HAVARD GREGORY
(Yng Nghylch Cinio Caerdydd, Tachwedd 2002)

CYNNWYS

YN Y DECHREUAD

Fe ddechreuodd *Cefn Gwlad* i fi dros ugain mlynedd yn ôl. O ran y gyfres ei hun, fe ddechreuodd gyda dyfodiad S4C. Cyn hynny fe fu'r Cyfarwyddwr, Geraint Rees, wrthi'n gwneud cyfres o'r enw *Mil o Alwadau*, cyfres yn dilyn helyntion y milfeddyg Huw Geraint o Ben-y-groes yn Arfon. Cafodd syniad am raglen arall yn ymwneud â bywyd gwledig a phan ddaeth *Mil o Alwadau* i ben, fe gychwynnodd *Cefn Gwlad*.

Ar y dechrau roedd yna nifer o wahanol gyflwynwyr – pobol adnabyddus – yn llywio'r rhaglenni. Bryd hynny roedd hi'n rhaglen gwbl wahanol i'r hyn wnaeth ddilyn, a bydde darnau helaeth iawn ohoni'n cael ei saethu yn y stiwdio. Y bwriad oedd portreadu cymeriadau, gweithgareddau a chrefftau gwledig. Yn y stiwdio y gwnaed y rhan fwyaf o ffilmio'r crefftwyr, rheiny yn fasiyniaid, gwneuthurwyr ffyn, cerfwyr ac ati.

Gwnaeth Geraint Rees gais i HTV am i mi gael cyflwyno tua deunaw mis cyn i fi gael y swydd. Ar y pryd rown i wrthi'n cyflwyno *Siôn a Siân* i HTV, gwaith fues i'n ei wneud am ddwy flynedd ar bymtheg. Doedd HTV ddim yn awyddus i fi gyflwyno *Cefn Gwlad*. Wedi'r cyfan, rown i'n cael fy adnabod gan bawb fel Dai Siôn a Siân ac mae 'na rai yn fy adnabod i fel'ny o hyd. Fel Dai Llanilar mae'r mwyafrif yn fy adnabod i, wrth gwrs, ac fel Dai Cefn Gwlad. Ond Dai Siôn a Siân own i ar y pryd i bawb bron.

Un hobi sydd gen i yw casglu ffyn ac mae gen i gasgliad o tua deg ar hugain, wedi eu llunio gan bron bob gwneuthurwr ffyn yng Nghymru, a'r diweddar Bob Griff fu'n gyfrifol am lunio llawer ohonyn nhw. Mae'r gwneuthurwyr wedi cerfio fy enw i ar y ffyn, rhai yn gyflwynedig i Dai Jones Llanilar, eraill i Dei Llanilar ond ar yr un gyntaf ges i mae'r enw Dai Siôn a Siân. Arni mae cerflun o ben hwrdd Gymreig a chenhinen Bedr. Ar ffon arall mae Dai Cefen Gwlad. Mae'r ffyn fel petai nhw'n cofnodi ac yn adlewyrchu fy ngyrfa deledu.

Beth bynnag, doedd HTV ddim yn awyddus iawn i fi gymryd at y gwaith o gyflwyno *Cefn Gwlad* ac fe dderbyniodd Geraint hynny. Wedi'r cyfan, roedd HTV wedi gweithio'n galed i wneud *Siôn a Siân* yn rhaglen boblogaidd iawn, a châi ei recordio yn adeilad Theatr Clwyd, Yr Wyddgrug, bryd hynny. Cadeirydd y cwmni oedd Syr Alun Talfan ac roedd e'n awyddus iawn i weld *Siôn a Siân* yn parhau. Pan ges i'r gwaith o gyflwyno roedd y gyfres ar fin cael y fwyell. Cyn i fi gychwyn arni roedd y diweddar annwyl I. B. Griffith yn cyflwyno, ac fe ges i lythyr hyfryd oddi wrtho'n dymuno'n dda i fi pan ges i'r swydd. Bryd hynny, ychydig iawn freuddwydiais i y bydde'r rhaglen yn parhau am ddwy flynedd ar bymtheg arall. Ond fe wnaeth.

Ymhen ychydig dros flwyddyn wedi i Geraint wneud y cais, fe ddaeth *Siôn a Siân* i ben. Wrth i'r sioe honno orffen, dyma gael fy nerbyn â breichiau agored i gyflwyno *Cefn Gwlad*; cyflwyno rhaglenni unigol i ddechrau.

Doeddwn i ddim yn gwbwl hyderus felly dyma ofyn i Geraint sut fedrwn i fynd o'i chwmpas hi a dyma fe'n dweud, 'Wel, rwyt ti wedi gweld *Cefn Gwlad*'. 'Wel, nadw,' meddwn i. Doedd peiriannau fideo ddim yn bethe cyffredin bryd hynny. Felly, er bod *Cefn Gwlad* eisoes wedi cychwyn doedd gen i ddim syniad sut raglen oedd hi. Rown i'n brysur yn canu ar hyd a lled Cymru gan deithio tua chan mil o filltiroedd y flwyddyn. Own i ddim yn gwylio'r teledu. Doedd gen i ddim amser.

Rown i fwy ar yr hewl nag own i adre, a doedd gen i ddim clem sut raglen oedd *Cefn Gwlad* na hyd yn oed beth oedd ei natur hi.

Fe wnes i bwynt wedyn o'i gwylio a meddwl hwyrach y medrwn i ddod i ben â'i chyflwyno. Dyma drafod gyda Geraint ac mae hynny wedi bod yn rhan o'r gwaith o'r cychwyn cyntaf. Mae Geraint bob amser yn agored i syniadau ac wedi caniatáu i fi fynd ati o 'mhen a'm pastwn fy hunan. Dydw i erioed wedi cael sgript. Dydi Geraint na finne ddim wedi sgriptio gymaint ag un rhaglen. Fe fydda i hyd yn oed yn gwneud y trosleisio o 'mhen. Does dim byd fyth ar bapur. Mynd ati i wylio'r lluniau a dweud yr hyn sydd angen ei ddweud fydda i.

Ar gyfer y rhaglen gyntaf, y cwestiwn oedd ble i gychwyn. Awgrymodd Geraint ein bod ni'n dechrau ar fy fferm i fy hunan. 'Fe ddown ni acw i dy gartref di ac fe gei di ddweud sut wyt ti'n byw,' medde Geraint. 'Iawn. Ond pryd?' Roedd hyn ar brynhawn dydd Iau ac roedd e' eisie cychwyn ar y bore dydd Llun wedyn.

Mae hwn eto yn bolisi sydd wedi para o'r dechre. Fyddwn ni byth yn rhoi rhybudd amser hir i neb gan fod pobol yn tueddu i fynd i'r strach o baratoi, peintio neu wyngalchu'r tŷ neu'r adeiladau eraill, a'r menywod yn gwneud eu gwalltiau! Newid pob peth ar gyfer y camera. Fe all hynny arwain at golli naturioldeb.

Rwy'n cofio am un, contractwr o Sir Gaerfyrddin – lapio bêls oedd ei bethe mawr e' – a Glyn 'Ready Wrap' own nhw'n ei alw fe. Roedd e'n gwneud llawer o weldo, a hynny'n golygu fod ganddo fe bob math o sbwriel o gwmpas y lle. Fe symudodd hwnnw'r sbwriel i gyd a'i dowlu dros y clawdd i'r cae dan tŷ gyda'r bwriad o'i symud yn ôl wedi i ni orffen. Rwy i'n credu mewn gadael popeth lle mae e. Mae gen i athroniaeth syml. Lle does 'na ddim lle i droi, gadewch bopeth fel mae e' a fyddwch chi'n gwybod ble mae popeth.

Ond mae'r busnes yma o glirio a thwtio cyn ffilmio yn

broblem. Yn aml fe fyddwn ni'n cael rhywun yn dweud wrthon ni am beidio ffilmio hyn, neu am beidio ffilmio rhywbeth arall fan draw. Fy ateb i bob tro yw – peidiwch â becso, fe wnaiff edrych yn iawn mewn lliw.

Ond cyn ffilmio'r rhaglen gyntaf honno rown i wedi cael rhyw ychydig bach o help. Tua mis cyn y ffilmio fe ddaeth yna rywun ata' i i'r fferm a gofyn a gâi fy nilyn i wrth fy ngwaith am ddiwrnod neu ddau. Sais oedd e', bachan bach tawel, gwallt cyrliog ac yn gwisgo sgidie dal adar, un digon diolwg o ran corff. Beth bynnag, fe wnes i gytuno y câi fy nilyn i ble bynnag fynnai, gydag un eithriad – châi e' ddim fy nilyn i'r tŷ bach.

Fe aeth diwrnod cyfan heibio cyn iddo fe ddweud wrtha i pwy oedd e. Erbyn heddiw mae e'n cael ei adnabod fel un o'r cyfarwyddwyr enwocaf ym myd teledu, un a wnaeth ei enw ar BBC2. Don Howarth oedd e' ac roedd yn gwneud cyfres o'r enw 'Living on the Land', cyfres ar gymeriadau roedd e'n teimlo oedd yn wahanol ac yn ddiddorol yng nghefn gwlad Cymru. Fe ges i wybod ganddo fe wedyn mai'r ddiweddar Mari James, Llangeitho oedd wedi'i ddanfon ata i ac roedd eisoes wedi bod yn ffilmio'r Prifardd Dic Jones ym Mlaenporth.

Dyna lle buodd e'n fy nilyn i ac yn siarad â fi. Rown i wedi trefnu i fynd i dreialon cŵn defaid Penuwch ar y prynhawn dydd Sadwrn, a dyma feddwl nawr y bydde fe'n mynd adre. Roedd wedi bod gyda ni am ddeuddydd, yn byw gyda ni i bob pwrpas ac yn cyd-fwyta â ni. Teimlad od oedd gofyn i Olwen y wraig i basio'r grefi yn Saesneg. Diawch, fe ddaeth e' gyda fi i Benuwch. Yno roedd bois y Pant a Ianto Bryncethin a'r criw wrthi'n tynnu coes a chwerthin a gweiddi ar dop eu lleisiau, fel mae pobol cefn gwlad yn dueddol o wneud. Rwy'n cofio Don yn gofyn i fi pam oedd y Cymry'n gweiddi cymaint ar ei gilydd? Oedden nhw'n gas? Oedden nhw am wneud yn siŵr fod pawb yn clywed?

Oedd 'na rai ohonyn nhw'n fyddar? Roedd wedi ei syfrdanu gan fywyd pobol ardal Penuwch. Ond dyma fe'n dweud nad oedd angen iddo fe aros yn hwy, roedd wedi gweld digon. Roedd e'n awyddus i ddod ata i i ffilmio a mi wnaeth, gan ffilmio rhaglen hanner awr. Fe ffilmiodd fi wrth fy ngwaith, mewn cyngerdd, mewn noson lawen mewn sied, ac yn y capel. Cafodd y rhaglen ei hailddarlledu droeon ar BBC2. Yn wir, fe gafodd ei hail-ddangos yn ddiweddar. Diddorol yw nodi mai Don a ddarganfyddodd Fred Dibnah, gan wneud hwnnw'n enwog ledled y byd.

Fe fu ffilmio gyda Don yn help mawr ac fe ddysgais i lawer. Roedd e' wedi gosod patrwm y medrwn i ei ailadrodd yn Gymraeg. Dyma fynd ati gyda Geraint i ffilmio'r rhaglen gyntaf honno, gwaith a gymerodd bum diwrnod. Yn y dyddiau cynnar hynny roedden ni'n griw mawr ond erbyn heddiw ry'n ni'n llawer llai o griw ac yn llwyddo i wneud rhaglenni o fewn llai o amser, rhyw ddau neu dri diwrnod ar yr eithaf.

Ar y dechrau fe fydde dyn camera a dyn sain a'u cynorthwywyr, cynhyrchydd, cyfarwyddwr a P.A., neu gynorthwy-ydd cynhyrchu – pob un â'i gar. Weithiau ffotograffydd hefyd ar gyfer lluniau cyhoeddusrwydd ac, os bydde'r clos yn fach, fe fydden ni'n parcio ar ryw gae bach yn ymyl y tŷ. Fe fydde pobol oedd yn pasio yn meddwl fod yno naill ai angladd neu ocsiwn. Ble bynnag fydden ni'n ffilmio fe fydde'r ardal gyfan yn gwybod ein bod ni yno a'r digwyddiad yn ennyn rhyw frwdfrydedd mawr.

Ar gyfer y rhaglen gyntaf roedd yn rhaid ffeindio pethe addas i'w ffilmio. Un peth fu codi pwt o ffens gan ddefnyddio hen bolyn tynnu a'r bobol leol yn synnu bo' fi'n defnyddio hen bolyn a finne ar y teledu. Rhai'n credu ei bod hi'n dynn iawn arna i yn gorfod gwneud hynny. Petai nhw ond yn gwybod, mae'r hen bolyn yn dal yno heddiw, un mlynedd ar hugain yn ddiwedd-arach.

Cafodd y rhaglen ei ffilmio a'i golygu a dyma hi'n dod yn fater o gael fy nhalu. Mater pwysig i Gardi ond doeddwn i ddim wedi trafod y peth o gwbwl. Addawodd Geraint y cawn i £25 y dydd, hynny yw, £125 am lai nag wythnos o waith. Roedd cymaint â hynny yr adeg honno yn dipyn o bres. Erbyn heddiw, wrth gwrs, mae hi'n fater o gytundeb am gyfres gyfan. Mae hi'n well ffordd o fyw heddiw na ffermio, wrth reswm.

Roedd y cyfan yn newydd i ni. Roedd John y mab, oedd yn naw neu ddeg oed ar y pryd, yn methu deall pam oedd yn rhaid i ni, dro ar ôl tro, saethu'r un olygfa ddwywaith a theirgwaith. Roedd e'n deimlad rhyfedd gorfod gweithio pum diwrnod ar gyfer rhaglen hanner awr ac roedd e'n hen waith blinedig. Own i ddim yn deall symudiadau'r camera bryd hynny. Symud drwy'r shot, er enghraifft. Wedyn stop, a'r camera'n tracio tuag yn ôl. Mae'r pethe yna erbyn heddiw yn dod yn ail-natur. Wyddwn i ddim bryd hynny chwaith y gwnâi'r gwaith bara dros ugain mlynedd.

Ar gyfer y rhaglen gyntaf honno roedd hi'n fwriad o'r dechre i ddangos y gwaith own i'n wneud yn gwbwl naturiol, godro, magu lloi a defaid, magu a rhedeg cŵn defaid, gan wneud y cyfan mor ddiddorol ag y medrwn i ar gyfer y gwylwyr.

Bryd hynny doedd yna ddim o'r hyn sy'n cael ei alw'n 'voice-overs', neu leisio dros y ffilm wedi iddi gael ei golygu. Roedd popeth yn cael ei ffilmio fel roedd e'n digwydd ac, wrth edrych yn ôl ar yr hen raglenni nawr, mae rhywun yn teimlo fod yna wacter. Mae'r trosleisio yn adeiladu ar gynnwys y rhaglen, yn llenwi bylchau ac mae Geraint Rees yn Gyfarwyddwr sy'n mynnu fod popeth yn cael ei wneud yn iawn. Rwy'n siŵr fod a wnelo hynny rywbeth â'r ffaith fod ei dad yn ysgolhaig, a phan na fydde fe'n deall rhywbeth mewn rhaglen fe fydde'n awgrymu ffordd arall o'i wneud, fel y bydde pobol y dre yn deall yn iawn beth oedd yn cael ei gyfleu. Dyna un o gyfrinachau llwyddiant y rhaglen – mae pobol y dre yn mwynhau *Cefn Gwlad* lawn cymaint â phobol y wlad. Heddiw mae trosleisio'n cael ei wneud yn rheolaidd gan wneud yn siŵr nad oes gymaint ag eiliad o'r rhaglen sy' ddim yn ddealladwy i'r gwylwyr.

Canlyniad y rhaglen gyntaf honno oedd i Geraint ffonio ymhen rhyw bythefnos yn dweud ei fod e'n hapus iawn â'r canlyniad. Roedd y drefn yn wahanol iawn bryd hynny. Fe fydde Cyfarwyddwr yn saethu tua hanner dwsin o raglenni ac fe fydde S4C yn eu dangos nhw. Heddiw mae ganddo ni slot arbennig ar gyfer un ar hugain o raglenni neu, rhwng y rhaglenni awr, rywbeth sy'n cyfateb i tua deg ar hugain o raglenni'r flwyddyn, gyda thymor arbennig ar gyfer eu dangos. Fe fyddwn ni'n dal i ffilmio rhaglenni, fel arfer, tra mae'r gyfres ar yr awyr.

Ond yn y dyddiau cynnar, lladd llygoden a'i bwyta hi oedd y drefn. Ffilmio'r rhaglen, ei pharatoi hi, ac yna talu. Wyddwn i ddim byd am gostau teithio ac 'overnights', hynny yw, costau llety ac ati. Rwy'n cofio mynd fyny i Ynys Môn, i Frynsiencyn, adeg y tymor wyna i wneud rhaglen ar Huw Bugail, plismon ym Mangor oedd hefyd yn ffermio ac yn cadw defaid sioe. Diwedd mis bach oedd hi, neu ddechrau mis Mawrth, ac roedd 123 o filliroedd o'n clos ni i glos Huw. Rown i'n gorfod teithio ymron i 150 milltir 'nôl a blaen bob dydd, ac wyna fy hun cyn mynd ac ar ôl cyrraedd adre. Doeddwn i ddim yn ystyried sefyll dros nos bryd hynny. Ond fe newidiodd hynny'n llwyr.

Mae'n ddiddorol sut wnes i ddod i adnabod Huw. Rown i'n gyrru drwy Fangor pan ges i'n stopio gan blismon am fy mod i'n gyrru i'r cyfeiriad anghywir ar hyd stryd un-ffordd. Beth bynnag, fe stopiodd fi a dyma fe'n fy nghyfarch:

'Helo', medde fe.

'Helo, shwd y'ch chi?' medde finnau.

'Dew, Dai Jones,' medde fe, 'ydych chi'n sylweddoli eich bod chi'n gyrru'r ffordd anghywir?'

'Nadw, wir, mae Bangor yn lle dieithr iawn i fi.'

'Wel,' medde fe, 'fe gewch chi bardwn y tro hwn gan mai chi yda chi. Ond dewch i 'ngweld i rywbryd.'

'Iawn,' medde fi, 'ond pwy y'ch chi?'

'Huw Bugail.'

'Pam Huw Bugail a chithe'n blismon?'

'O, mae gen i fferm yn Sir Fôn – ym Mrynsiencyn – lle rwy'n cadw a dangos defaid a gwneud ffyn bugail.'

A dyna ddigwyddodd. Cyn belled ag yr oedd y ffyn yn y cwestiwn roedd e'n gryn athrylith. Roedd e'n gadael ei farc ar bob un, marc angor, ac yn ogystal â bod yn fridiwr o fri, roedd e'n dda gyda chŵn defaid.

Fe es i allan gydag e' i dorri ffyn ac fe fedra'i ddweud, â'm llaw ar fy nghalon, mai dyna'r lle oeraf i fi fod ynddo erioed. Brynsiencyn ar fore o fis Mawrth.

O'r rhaglen gyntaf, y bwriad oedd ceisio portreadu i'r gwylwyr sut own i'n byw ac yn gweithio o ddydd i ddydd, a hefyd sut oedd teulu cefn gwlad go iawn yn byw ac yn gweithio. Trwy wneud hynny newidiwyd cymeriad ac arddull *Cefn Gwlad* yn llwyr. Yn ogystal â'r rhaglen gyntaf honno, wrth gwrs, fe ddangosid y rhaglenni a wneid yn y stiwdio, cyflwynwyr gwahanol yn ymweld â phennaeth yr NFU a phennaeth yr FUW, hwyrach. Weithiau fe fydde Glynog Davies yn cyflwyno, bryd arall Ifor Lloyd, Wil Morgan neu Norman Closs Parry, neu rywun arall.

Ond mae'n rhaid fod fy rhaglen gyntaf i wedi plesio gan i Geraint Rees fy ffonio un dydd Iau. Wn i ddim pam roedd o'n dueddol o ffonio ar ddydd Iau, diwrnod swyddfa iddo falle. Dweud wnaeth e' iddo gwblhau gosod y rhaglen at ei gilydd a gofyn a fyddwn i'n ystyried gwneud un arall. Fe gytunais os oedd hynny'n golygu gwneud rhywbeth o'r un natur, gan ddefnyddio fy arddull i fy hunan. Fe ofynnodd i fi feddwl am rywun arall i'w ffilmio gan addo ffonio 'nôl y noson wedyn, nos Wener, ac fe wnaeth. Roedd e' am ffilmio ganol yr wythnos wedyn.

Doeddwn i ddim eisiau ffilmio rhywun oedd yn byw yn agos neu fe fydde'r gwylwyr yn meddwl mai sioe o Lanilar fydde hi. Dyma gofio am ferch own i wedi ei gweld ar raglen deledu, merch ifanc ddi-briod â gwallt golau a digon ganddi i'w ddweud, ac roedd ganddi acen hyfryd Sir Drefaldwyn. Fedrwn i ddim yn fy myw gofio pwy oedd hi ond roedd rywbeth yng nghefn fy meddwl i'n dweud ei bod hi'n dod o Ddyffryn Tanat. Fe ffoniais i Charles Arch, hen ffrind agos iawn i fi ers blynyddoedd bellach. Mae'r ddau ohonon ni wedi cydweithio ym myd y cŵn defaid, a'r ddau ohonom a'n gwragedd yn treulio gwyliau gyda'n gilydd bob blwyddyn yn y treialon rhyngwladol. Roedd Charles wedi bod yn gweithio gyda'r NFU yn Sir Drefaldwyn, ymhlith mannau eraill, ac roedd gobaith cryf y bydde fe'n gwybod pwy oedd y ferch. Fe wyddai'n iawn pwy oedd hi – Margaret Rhoshaflo. Nid o Ddyffryn Tanat ond o Ddyffryn Banw ac yn ogystal â chofio'i henw, fe lwyddodd i ffeindio'i rhif ffôn hi hefyd.

Fe ffoniais i Margaret. Mae gen i rhyw hen arferiad o dynnu coes ar y ffôn a dyma fi'n ei chyfarch fel y ddynes ddi-briod fwyaf siaradus yn Sir Drefaldwyn a gofyn sut oedd hi. 'Reit dda,' medde hi. Rown i'n meddwl ei bod hi braidd yn dawedog ond dyma fynd ymlaen. 'Ydych chi wedi cael gafael mewn gŵr eto?' A dyma ateb yn dod, 'Chi'n meddwl mai Margaret sydd yma? Ond na, ei mam hi sydd yma.' Fe wnes i ymddiheuro a dweud pwy oeddwn i. Ddechre'r flwyddyn oedd hi ac roedd Margaret yn digwydd bod yn y Plygain yn Llanfihangel yng Ngwynfa, ond dyma'i mam yn gaddo rhoi neges iddi fy ffonio i 'nôl. Ac mi wnaeth. 'Dew, sut wyt ti heno?' medde hi, yn union fel petai ni wedi bod yn yr ysgol gyda'n gilydd. Dyma ofyn iddi a wnâi hi gytuno i ni ei ffilmio hi. 'O, blincin hec, dydw'i ddim yn siŵr. Dew, mae'r hen le yma din i waered,' medde hi wedyn. 'Does gynnon ni ddim byd modern.' 'Paid poeni,' medde fi, gan roi'r un stori iddi hithau eto y bydde popeth yn edrych yn iawn mewn lliw. Yn y diwedd dyma hi'n cytuno. 'Dew, waeth i ti gael dod, ynte.'

Erbyn heddiw mae'r trefniadau'n cael eu gwneud yn ffurfiol drwy lythyr. Ond yr adeg honno, codi'r ffôn fyddwn i a gwneud trefniadau ar lafar. Roedd hi'n nos Sul, a Margaret yn gofyn pryd fydden ni'n cyrraedd? Finne'n dweud y bydden ni yno ddydd Mercher. Wnâ i byth anghofio'r ateb. 'Well my giddy aunt! Annwyl dad, rwyt ti'n gweithio'n sydyn. Wyt ti'n gwneud pob peth mor sydyn â hynna? Diawch, fe gei di ddod yma i weithio. Fe wnawn ni gychwyn y gwair ar yr un diwrnod a'i orffen o wedyn.' Finne'n ateb mai dyna'n union am be' oedden ni'n chwilio.

A dyma ni'n mynd. Cyrraedd y Wynnstay yn Llanfair Caereinion a Margaret yn ein harwain ni, yn rhes o geir, i fyny'r ffordd fach tuag at Roshaflo. Roedd hi'n fferm draddodiadol Gymreig a digon yn digwydd yno, hyd yn oed ym mherfeddion gaeaf.

Mae rhywbeth yn mynd o'i le ymhob man ac fe ddigwyddodd hynny yn Rhoshaflo pan oedden ni wrthi'n ffilmio'r defaid. Mae gan bawb ddafad neu fuwch neu gi neu gath wael. Mae hi'n ffaith ryfedd ond, wrth ffilmio, os oes yno un ddafad gloff ymhlith mil, honno fydd y nesaf at y camera bob tro. A dafad denau wedyn, mae honno'n saff o ddod i'r golwg. Ond y tro hwn, hen hwrdd wnaeth ymddangos, a hwnnw'n hen hwrdd oedd wedi cael amser go galed, hwrdd nad oedd yn ddim byd ond clustie a cheillie. Doedd dim corff iddo fe a Margaret yn ymbil arnon ni, 'Peidiwch â dangos hwnna, er bendith Duw, neu fe fydd pob cartre henoed yn y wlad yn ffonio.' Ac o hynny ymlaen, bob tro fydde Margaret yn anhapus â rhywbeth fydden ni'n ffilmio, fe fydde hi'n cael rhyw chwiw. Fe fydde hi'n sefyll o flaen y camera yn ei siaced Barbour, ei breichiau yn yr awyr ac yn gweiddi 'Stop!' A'r unig beth fedrai'r dyn camera ei weld o'i flaen fydde rhes o fotymau Barbour.

Ar ôl dwy flynedd ar bymtheg ar *Siôn a Siân* rown i'n hen gyfarwydd â pherfformio o flaen camerâu stiwdio, a chael fy mharatoi ar gyfer y rhaglen. Fe fydde pobol wardrob a choluro yn cadw golwg barcud ar bethe. Os fydde blewyn o wallt o le, fe fydde'r grib wrth law ac os fydde'r dei ychydig yn gam, fe gâi ei hunioni. Fe gâi'r dillad eu dewis a'u prynu ar fy nghyfer ond, ar *Cefn Gwlad*, rown i yr hyn oedd pobol yn ei weld. Gwisgo'n hunan. Dim colur. Rown i'n gwneud fy ngorau i fod yr hyn own i, sef ffermwr heb edrych ormod fel rhyw wr bonheddig, cap ar fy mhen, neu'n hytrach het mynd a dod, a chôt Barbour.

Am ryw reswm fe brynais i bâr o welintons Hunters, y math ar welintons sy'n codi'n syth o'r bigwrn fel peipen, gyda strapiau ar y tu allan, a phan dynnwch chi nhw bant mae nhw'n dueddol o blygu i'r naill ochr. Rwy'n cofio'n dda gwneud rhyw fath o ddilyniant ar ffilm, rhyw 'cut-away' cloi. Roedd y welintons ar stepen y drws er mwyn rhoi'r argraff fy mod i yn y tŷ. Mae welintons gwag hefyd yn medru awgrymu pethe mawr, ac mae Geraint yn hoff iawn o ddefnyddio triciau fel'ny – rhywbeth awgrymog neu lle dwi'n disgyn ar fy nhin. Roedd hi'n ddiwrnod braf yn yr achos hwn, a'r welintons yn sefyll ar garreg y drws. Bob tro y down i allan fe fydde'r haul yn taro'r welintons a rheiny'n plygu fel rhyw bethe byw o flaen y camera. Fe gymerodd hi, siŵr o fod, un ar hugain o 'takes'.

Roedd gan Margaret hen fwthyn bach yn y cae, wedi'i addasu ar gyfer cadw lloi, gyda lôn yn arwain ato. Fe wnaethon ni ffilmio Margaret yn gyrru tractor, hen Universal bach, i fyny'r lôn a finne yn y 'link-box' y tu ôl a chân Plethyn, 'Os daw fy nghariad i yma heno' yn chwarae dros y cyfan. Roedd hyn wrth fodd pawb, ac yn edrych fel rhyw ddrama fach. Yn wir, i ni mae pob rhaglen yn ddrama.

Gan ein bod ni yno am bedwar diwrnod roedd hynny'n rhoi cyfle i ni ddod i adnabod ein gilydd gan greu rhyw fath o ddealltwriaeth. Petai ni'n mynd ati o ddifri, fe fedren ni fod wedi ffilmio'r rhaglen mewn diwrnod. Ond fe fydde'r criw yn ymlacio ac yn meddwl, ar ddiwedd y dydd, am rywbeth gwahanol i'w wneud. Rhyw siarad o gwmpas y lle tân gyda'r nos am yr hyn fedren ni ei wneud y diwrnod wedyn. Trwy hynny fe gawson ni raglen wych.

Roedd Margaret wedi dod yn gyfarwydd â'n dull ni o ffilmio ar ôl diwrnod neu ddau. Yn arbennig y busnes yma o ail-wneud neu ail-saethu digwyddiadau er mwyn rhoi opsiwn i'r dyn camera. Un peth rwy'n ei gofio'n dda yw Margaret yn ein hatgoffa ein bod ni yno yn nhymor wyna, gan ychwanegu y bydde hi'n anodd ffilmio oen yn cael ei dynnu ac yna ei roi 'nôl yn y ddafad ar gyfer shot arall!

Roedd y beudy yn y cae yn feudy hen ffasiwn lle câi'r buchod eu clymu yn yr hen ddull. Dim ond tua hanner dwsin o wartheg oedd yno ac, ar gyfer carthu'r beudy, doedd dim angen berfa – dim ond agor drws yn nhalcen yr adeilad a lluchio'r dom allan. Hwnnw'n disgyn wedyn tua pymtheg troedfedd i'r domen. Wedi i'r camera dynnu shot lydan o'r ddau ohonon ni'n carthu roedd angen shots agos nawr o'r rhaw yn codi'r dom.

Doedd neb o'r criw yn gyfarwydd â ffermio. Finne ar y pryd ddim yn gyfarwydd â'r grefft o ffilmio ond, fel ffermwr, fe wyddwn y bydde'r gwartheg wedi caca eto erbyn bore trannoeth. Row'n i'n meddwl y bydde hi'n llawer haws ffilmio'r dilyniant hwnnw bryd hynny. Ond na, ar ôl taflu'r dom allan ar gyfer shot lydan roedd yn rhaid cael y dom yn ôl ar gyfer y shots agos. Nid yn unig cael y dom yn ôl ond ei ailosod e'n ddeche, yn union fel oedd e' cynt er mwyn sicrhau fod y shot yn ddilys. I wneud hynny roedd yn rhaid ailgodi'r dom o'r domen, ei wthio mewn whilber reit rownd i'r clos, a'i osod fel petai chi'n adeiladu cestyll tywod ar lan y môr. Roedd yna un fendith. Roedd Margaret yn byw yn weddol hen ffasiwn ac yn porthi gwartheg yn yr hen ddull, sef tipyn o geirch a gwair, ddim run fath â gwartheg heddiw sy'n cael eu bwydo â'r holl fraster a phrotîn. Fyddech chi ddim yn gwybod heddiw ai caca neu piso fydde'r gwartheg. Mae nhw'n cael gwared â stwff sydd mor wlyb fel y bydde ailosod hwnnw yn amhosib. 'Welis i erioed y fath beth,' medde Margaret. 'Pwy welis ti erioed yn ailosod cachu gwarthag mewn beudy?' Ond fe ddaethon ni i ben â hi.

O fewn y cyfnod byr y buon ni'n ffilmio, fe ddaeth Margaret i ddeall y cyfrwng yn gyflym iawn. Rwy'n cofio cerdded gyda hi o flaen y camera ar draws y clos, y deuddegfed 'take', siŵr o fod, a finne'n rhyw faglu a Margaret yn dweud 'Stop! Fedri di ddim gadal hynna i fynd ar y teledu.' Y peth nesa fydde 'Cut!' oddi wrth Geraint, a dechre eto. Rwy'n teimlo weithiau, petai Margaret wedi cael ychydig mwy o brofiad y bydde hi erbyn hyn yn cyfarwyddo ffilmiau cowbois.

Doedd pawb ddim yn berchen ar set deledu, heb sôn am wybod dim byd am y drefn o ffilmio y dyddiau hynny ac roedd y busnes ail-saethu yma yn eu synnu nhw. Gosod goleuadau yn y tŷ wedyn a'r rheiny yn rhai llachar iawn. Fe fyddech chi'n clywed pobol ymhob man yn cyfeirio at y gweoedd pry cop oedd yn dod i'r golwg. Panic wedyn. 'Arhoswch, allwch chi ddim ffilmio cyn i mi lanhau fanco.' A mynd ati bron iawn i spring-clînio'r tŷ cyfan cyn i ni fedru cychwyn.

Ond dyna fe, roeddwn i fy hunan yn newydd i'r peth.

Yr effaith mwyaf a gâi'r cyfan arna i oedd blinder. Pan ddown adre ar ôl diwrnod o waith ffilmio byddwn yn cysgu fel clawdd. Fe fyddwn i'n newid y car bob blwyddyn a byth yn defnyddio'r radio – os fydde traul ar y car, fe fydde'r radio fel newydd. Wrth deithio o le i le fe fyddwn yn siarad â fi fy hunan, rhyw fonolog uchel, yn ymarfer beth fyddwn i'n ei ddweud fan hyn, beth fyddwn i'n ei wneud fan draw.

Yn dilyn y rhaglen yna fe gafodd Margaret ei defnyddio wedyn yn Smithfield ac yn y Sioe Frenhinol. Does dim rhyfedd. Roedd hi'n siaradwraig dda a chanddi dafodiaith gyfoethog, iach ac mae hi'n dal i ffermio Rhoshaflog.

Erbyn i ni gwblhau'r ail raglen rown i'n teimlo fy mod i'n dechre deall pethe. Yn dechre deall ffordd o fyw pobol fel Margaret ac yn teimlo fy mod i'n dechre llwyddo i siarad yn gall â phobol o flaen y camera.

Fe ddechreuodd y rhaglenni ymddangos am yn ail â'r rhaglenni stiwdio ac fe ddaeth pobol i'w mwynhau nhw. Fedrwn i ddim codi petrol yn unman heb i rywun godi sgwrs am *Cefn Gwlad* ac, o sgwrsio, fe fyddwn i'n cael gwybod am ambell gymeriad diddorol lleol. Yn aml iawn fe fydde perchennog y lle petrol yn galw'i wraig neu rywun arall i ofalu am y pwmp tra bydde fe'n dod gyda fi at y cymeriad dan sylw er mwyn cael sgwrs fach. Mae hynny'n ateb cwestiwn mae llawer yn ei holi – o ble mae'r storïau'n dod?

Ar y dechre, fi ac ambell aelod o'r criw ffilmio fydde'n darganfod y storïau. Er enghraifft, daeth Geraint ar y ffôn un diwrnod yn cynnig syniad. Gofynnodd i fi a oeddwn i wedi bod yn Slimbridge erioed. Pan glywais i enw'r lle, rown i'n meddwl mai fferm iechyd oedd yno, ond dyma ddeall wedyn mai lle adar oedd Slimbridge, un o'r rhai mwyaf yn y byd, mae'n siŵr. Mangre a ysbrydolwyd gan Syr Peter a Ledi Scott.

Roedd gen i amheuon. Wyddwn i ddim byd am adar a

wyddwn i ddim ble oedd Slimbridge, ond roedd Geraint yn gwbwl hyderus y medrwn i wneud y job yn iawn. Dyma drefnu i fynd yno a chyfarfod yn y Little Chef ar Bont Hafren. Chysgais i yr un llygedyn y noson cynt wrth feddwl beth own i'n mynd i ddweud am yr adar yma fydde yn Slimbridge. Ond bant â ni.

Erbyn hyn roedd yna elfennau newydd yn dod i'r busnes. Un o'r rheiny oedd 'promos'. Hynny yw, ffilmio pytiau byrion ar gyfer y teledu i hybu a hysbysebu'r rhaglen fydde'n ymddangos yr wythnos wedyn. Trêls mae rhai yn eu galw nhw. Ond bryd hynny wyddwn i ddim beth oedd ystyr promo. Gofynnais a gawn i adael hynny nes bydden ni wedi saethu'r rhaglen, oherwydd wedyn fe fyddwn i'n gwybod yn well beth yn union i'w hyrwyddo. Iawn, medde Geraint.

Lawr â ni i Slimbridge, ac roedd miloedd o bobol yno. Roedd prif giper y ganolfan, neu'r prif reolwr, yn Gymro o Gaernarfon. Mae rhannau o'r tir wedi eu neilltuo ar gyfer gwahanol adar. Roedd yna dylluanod – mae'r lle yn enwog am y rheiny – ac roedd Tywysog Cymru wedi cyfrannu arian at eu cynnal nhw. Dyna lle'r oedden nhw mewn blychau ar goed, yn union fel petai nhw yn eu cynefinoedd naturiol. Ond beth own i'n mynd i ddweud am y tylluanod yma? Gwdihŵ oedd gwdihŵ i fi. Fe wyddwn i eu bod nhw'n mynd allan yn y nos, ac rown i'n cofio i un ddisgyn ar fy nwylo i pan own i ar fy meic unwaith yn seiclo adre ar ôl noson o garu. Cael ei denu gan olau'r lamp deinamo wnaeth hi. Mi grafodd y diawl fi a doedd gen i ddim byd i'w ddweud wrth gwdihŵ byth wedyn.

Yn ffodus, ym mhob cynefin, ar gyfer pob math o aderyn, roedd hysbysfwrdd yn adrodd eu hanes nhw. Fe ddarllenais y rheiny a gofyn cwestiynau ar y wybodaeth honno. Mae gen i gof go lew ac mi weithiodd. Mae'n siŵr fod y gwylwyr, o weld y rhaglen, yn meddwl fy mod i'n arbenigwr ar adar. Yr unig beth oedd yn anodd oedd fod yn rhaid i fi siarad â'r cyfarwyddwr hwn o Gymro yng nghanol pobol eraill oedd wedi dod yno, llawer ohonyn nhw'n blant ysgol. Rheiny, wrth ein gweld ni'n ffilmio, yn dod yno'n heidiau. I rywun dibrofiad fel fi, roedd siarad yng nghanol eu cleber nhw yn Gymraeg, a gwneud synnwyr, a cheisio cofio'r hyn own i am ei ofyn, yn dipyn o dreth. Ond fe weithiodd. Cyn hynny yr unig beth a wyddwn i am adar oedd y gwahaniaeth rhwng Rhode Island Red a Bantam, hwyaden a gŵydd, brân a gwylan. Dyna oedd swm a sylwedd fy ngwybodaeth amdanynt.

Fe wnes i fwynhau'n eithriadol. Yr adar apeliodd ata i fwya oedd yr elyrch duon ac fe ddigwyddodd rhywbeth digon doniol. Wrth i fi gyflwyno darn i gamera fe ganodd y ffôn yn y swyddfa, a thra buodd y cyfarwyddwr yn ateb yr alwad fe wnes i rywbeth digon dwl. Fe wthiais i 'nhrwyn ormod i fusnes yr elyrch. Roedd yno ynys fechan gerllaw lle'r oedd eu nythod, ac roedd hi'n dymor dodwy. Roedd yr wyau yn anferth, fel bomiau. Wrth gwrs, rhaid oedd i fi fynd i gael golwg arnyn nhw i weld a oedden nhw'n deor. Yn sydyn dyma'r aderyn anferth yma'n dod allan o'r coed ac yn disgyn ar fy mhen i fel parashwt. Fues i jyst iawn â ffeintio yn y fan a'r lle.

Wnes i ddim cyfarfod â Syr Peter Scott ond fe wnes i gyfarfod â'i wraig e. Ond dim dod yno i'n croesawu ni nac i wneud paned i ni wnaeth hi ond bron iawn i'n herlid ni oddi yno. Roedd yna gabanau, neu guddfannau, ar gyfer gwylio rhai o'r adar prin ac mae'n bwysig nad ydy'r gwylwyr adar yn newid arferiad o ddiwrnod i ddiwrnod, rhag tarfu arnyn nhw. Mae'r adar yn cyfarwyddo wedyn â'r sefyllfa, ac yn ei derbyn. Mae'n bwysig peidio gwneud dim byd allai eu gwylltio rhag iddyn nhw hedfan i ffwrdd a gwrthod dod yn ôl.

Dyna lle'r own i yn un o'r cuddfannau yma yn edrych allan ac yn siarad yn ddistaw bach â'r cyfarwyddwr.

Popeth yn iawn. Gyda ni roedd yr hyn mae pobol y byd ffilmio'n ei alw yn 'basher', sef lamp llaw ar gyfer goleuo'r wyneb, er mwyn gwneud i bobol adre ein gwerthfawrogi ni'n fwy ar y teledu. Dyma gynnau'r lamp. Fe welodd Ledi Scott y golau a draw â hi. Fe fedra i ei gweld hi nawr yn brasgamu tuag aton ni. Roedd hi'n aeaf, a hithau mewn trowser ffwr gwyn a welintons fel sgidie eira, côt wen amdani a het fawr. Debyg iawn i un o'r hen wyddau oedd yn arfer bod yn Nhanglogau, Llangwrddon gynt. Roedd gwyddau Tanglogau yn wahanol i wyddau pawb arall, gwyddau shafrog oedden nhw. Roedd yr hen glacwydd yn cerdded fel ceffyl Lancelot, a digon tebyg oedd cerddediad Ledi Scott, er dw'i ddim yn credu eu bod nhw'n perthyn 'chwaith.

Wel, dyma hi'n row. Ond fe ddwedodd y cyfarwyddwr ei ddweud gan dawelu'r dyfroedd ac fe gawson ni barhau â'n ffilmio.

Dyma orffen corff y rhaglen ond heb wneud y shot agoriadol. Fel'ny mae pethe wrth ffilmio rhaglen fel *Cefn Gwlad*. Mae'n dibynnu gymaint ar y sefyllfa. Fyddwn ni byth yn ffilmio rhaglen yn y drefn mae hi'n ymddangos. Mewn sioe, er enghraifft, mae hynny'n amhosib gan ei bod hi'n rheidrwydd ein bod ni'n cael y rhannau pwysicaf i'r 'can' cyn meddwl am lincs ac ati. Yn aml iawn, y linc agoriadol yw'r peth olaf i'w ffilmio ac, o gofio mai hyn sy'n gosod y cywair i'r rhaglen gyfan, fe all fod yn anodd. Mae'r golau'n medru newid yn ystod y linc, yr haul allan weithiau wrth i ni gychwyn ac yna'n diflannu cyn cloi'r linc. Mae hi'n bwysig gwneud yr agoriad yn hamddenol, peidio rhuthro. Yr agoriad yw'r abwyd sy'n gwneud i wylwyr eistedd lawr a rhoi bisged yn eu te, a chael eu dal gymaint fel eu bod nhw'n anghofio'r fisged a gadael iddi doddi yn y te. Os ydyn nhw'n anghofio'r te hefyd, ry'ch chi wedi llwyddo. Dyna'r fath agoriad sydd ei angen, rhywbeth i hoelio sylw pobol.

Fe ffeindion ni le delfrydol i wneud y linc agoriadol yn Slimbridge. Roedd yno ffordd fach gul a gatiau hardd hefo dau biler bach cerrig ond dyma'r haul yn mynd lawr wrth i fi wneud y linc. Dyma hi'n 'take two'. Awyren yn hedfan heibio. 'Take three'. Rhywun yn gweiddi ar hanner y cyflwyniad. 'Take four'. Y bachan sain yn baglu. 'Take five'. Cynnig arall. Lan â fi fyny'r ffordd a chychwyn siarad. Swingio'r breichiau'n hamddenol. Gwybod fy mhethe. A dyma'r Range Rover gwyn yma'n dod y tu ôl i fi. Wyddwn i ddim, ond mae'n debyg fod teulu'r Scotts yn ffrindiau mawr â'r teulu Brenhinol. Dynes sydd wedi creu helyntion mawr i fi yn ystod fy mywyd cyhoeddus yw Prinses Anne, ond hi oedd y person olaf ar fy meddwl i ar y pryd.

Wrth i'r Range Rover gwyn darfu ar y linc dyma fi'n penderfynu gofyn i'r rhai oedd yn y cerbyd fynd o'r ffordd. Fedren nhw ddim pasio gan fod y camera wedi'i osod ar ganol y ffordd. Fe ofynnais yn gwrtais a fydden nhw'n fodlon mynd 'nôl i dop yr hewl ac aros yno am bum munud nes fy mod i'n gorffen y linc, wedyn fe wnawn i eu galw nhw ymlaen. Gofynnodd y dyn oedd yn gyrru beth oedd yn digwydd a finne'n ateb ein bod ni'n ffilmio'r rhaglen Gymraeg, *Cefn Gwlad*. Cytunodd ar unwaith i facio'n ôl ac aros nes i ni orffen. Pwy oedd e' ond y Capten Mark Phillips, ac wrth ei ochr roedd ei wraig, Prinses Anne, neu Mrs Phillips, fel y gwnes i ei chyfarch hi unwaith yn y Sioe Frenhinol!

Fe fuon nhw'n arbennig o glên. Wedi i ni orffen fe wnaethon nhw oedi yno am sbel yn holi hynt a helynt y rhaglen. Fe ges i fy nhemtio i ofyn iddi a gawn i ei ffilmio hi a'r ceffylau. Ond wnes i ddim.

Ar ôl cwblhau'r linc agoriadol roedd angen nawr i wneud y promo hwnnw roedd Geraint wedi sôn amdano ar y ffordd lawr. Roedd y bechgyn yn gwybod am ryw lwybr oedd yn mynd â ni i ryw fan ar Bont Hafren lle na fydde ond y gweithwyr a'r heddlu'n cael mynd. Oddi yno roedd golygfa wych o'r bont yn gyfan. Y syniad oedd fy mod i'n dweud fy mod i'n mynd i ffilmio'r rhaglen nesaf dros Bont Hafren, yn Lloegr.

Rhaglen Slimbridge oedd y drydedd raglen i ni ei ffilmio. Nawr rown i'n dechrau tyfu. Dod i ddeall y busnes talu wrth y dydd yn un peth, a chwarae teg, roedd y cyflog yn codi fesul rhaglen. Dod i wybod hefyd am fanylion fel aros dros nos a chostau teithio. Roedd pethe'n gwella. Dod i adnabod aelodau o'r criw wedyn fel 'ti' a 'tithe' a Geraint a finne'n cael digon o ryddid. Mae hynny wedi bodoli erioed ac os nad yw rhywbeth yn gweithio'n iawn, a ninnau ddim cweit yn hapus, fydd Geraint byth yn dweud 'Gwna fe fel hyn'. Na, ei ymateb fydde, 'Treia fe 'to. Dwi'n credu allu di wneud hwnna'n well'.

A phan mae rhywun yn dweud wrthoch chi am ei dreial eto, mae e'n union yr un fath â chanu. Mae canu wedi bod yn help ymhob ystyr i fi. Mewn canu, os oedd nodyn ddim yn reit, roedd modd ei gywiro, wrth gwrs. Ond os nad oeddech chi'n rhoi'r mynegiant a'r teimlad, yr hyn ddywedai fy hyfforddwr, Colin Jones, oedd, 'Treia fe 'to'. Ond yr hyn oedd mewn canu nad oedd mewn cyflwyno *Cefn Gwlad* oedd fod y cyfeilydd yn medru rhoi rhywbeth ym mynegiant y gerddoriaeth i wneud i chi ddeall. Yn *Cefn Gwlad* rown i ar fy mhen fy hunan o flaen y camera, a phan na fyddwn i'n siarad doedd yno ddim byd ond distawrwydd. Roedd angen llenwi'r distawrwydd hwnnw, a'i lenwi hefo synnwyr cyffredin a rhywbeth fydde'n ddealladwy. Mynd i Slimbridge wnaeth agor fy llygaid ac agor fy ngwybodaeth i. Rown i'n deall nawr fod yn rhaid i fi wneud rhywbeth yn wahanol.

Fe ddaeth y cyfnod wedyn pan fydde'n rhaid i fi fynd lawr i Gaerdydd i drosleisio. Fe fyddwn i bryd hynny yn medru gweld y rhaglen wedi'i thorri, wedi'i golygu. Roedd modd cael golwg wedyn ar yr hyn own i wedi'i wneud. Cyn hynny, chawn i ddim gweld dim byd nes oedd y rhaglen ar y sgrîn.

Fe ddechreuwyd danfon dyn tynnu lluniau gyda ni. Dyna'i chi job oedd honno. Sefyll mewn rhyw lefydd diddorol er mwyn cael llun wedi'i dynnu. Hynny wedyn, wrth gwrs, yn cyfrannu at hyrwyddo'r rhaglen. Roedd y cyfryngau yn dechre deall. Rown innau'n dechre deall hefyd a'r darnau'n dechre disgyn i'w lle.

CHWILIO A MENTRO

Ar ôl blwyddyn o gyflwyno rhaglenni a oedd yn ymddangos am yn ail â'r rhaglenni stiwdio, fe ofynnodd Geraint a fydde gen i ddiddordeb mewn cyflwyno'r gyfres gyfan. Fy ateb i oedd y bydde, os oedd e'n credu fod fy arddull i'n ddigon da. Dim fy mod i am fynd â swydd neb arall ond roedd Geraint yn awyddus i fi wneud ac fe ddwedodd y câi air â HTV.

Dyma ddechrau wedyn ar y cyfresi sydd wedi dod mor gyfarwydd, ac sy'n dal i redeg ac, yn ôl yr ystadegau gwylio, yn dal i blesio hefyd. Dyma'r cyfle'n dod ar yr un pryd i fi ymwneud mwy â gwneuthuriad y rhaglenni. Chwarae mwy o ran. Yn ogystal â chyflwyno, fe gawn i nawr chwarae cymaint o ran â Geraint mewn chwilio a dewis testunau. Fe fydden ni'n gwneud rhwng pymtheg ag ugain rhaglen y flwyddyn. Hynny'n golygu y bydden ni'n treulio gweddill yr amser, sef y tymor llac, yn gwneud yr hyn sy'n cael ei alw yn 'recces', hynny yw, mynd ar deithiau i chwilio am straeon.

Rown i'n lwcus o fod, o'r cychwyn cynta, yn gysylltiedig ag eisteddfodau, sioeau a threialon cŵn defaid. Rown i'n ymdroi o fewn cylch y gymdeithas wledig ac wedi cael y fraint o ddod i adnabod pobol ar hyd a lled Cymru. Fe allai fy nghar i dorri lawr mewn unrhyw ran o Gymru ac fe fydde yna rywrai yn siŵr o fy nabod i ac yn barod i helpu.

Fe fydden ni'n teithio o gwmpas gryn dipyn. Roedd gan Geraint fwthyn yn y gogledd, felly fe fydden ni'n trefnu i gwrdd ym Mhorthmadog, hwyrach, neu yn Sir

Fôn ac yna gweithio ardaloedd. Gweithredu yn debyg iawn i gwmnïau gwerthu yswiriant Americanaidd. Disgyn ar un ardal ar y tro. Hwyrach y bydden ni wedi rhoi galwad rhag blaen i rywun am wybodaeth. Cysylltu â rhywun fydde'n gwerthu bwydydd anifeiliaid neu drafeiliwr, neu hyd yn oed weinidog yr efengyl fydde'n ymdroi yn y gymdeithas leol. Dyna'r math o bobol y bydde ni'n cysylltu â nhw er mwyn gwybodaeth am y gwahanol ardaloedd a'u cymeriadau. Pobol fydde'n adnabod eu bröydd. Daethom i sylweddoli hefyd fod postman yn medru bod yn un da.

Fe fydde hi'n hwyl mynd o gwmpas yr ardaloedd cefn gwlad. Paned fan hyn, dishgled fan draw, hynny'n dibynnu a fydden ni yn y gogledd neu yn y de. Fe gaen ni hi'n anodd i berswadio rhai pobol i fodloni cael eu ffilmio. Eraill yn bodloni ar unwaith. Y cwestiwn cynta gan amlaf fydde faint o amser gymerai'r gwaith ffilmio? Ninnau'n ateb y cymerai hi dri neu bedwar diwrnod. Y cwestiwn nesa fydde – faint o raglenni fyddwch chi'n eu gwneud? Esbonio wedyn fod angen llawer iawn o ffilmio ar gyfer rhaglen hanner awr. Pawb, yn ddiwahân bron, yn gofyn ar ôl i ni orffen a gâi nhw gopi o'r rhannau oedd wedi eu torri allan. Roedd pawb, bron, yn gofyn am rheiny.

Ym mhob man fe fydden ni'n cael hanes cymeriad arbennig o'r fro. Cael straeon difyr amdano ac, ar ddiwedd y sgwrs, gofyn am ei gyfeiriad neu ei rif ffôn. Yn aml caem yr ateb – mae e' wedi marw! Rwy'n ddigon parod i holi rhywun sy'n dal yn fyw ond ddim rhywun sy' wedi marw. Roedd – ac y mae – hynna'n codi'n aml.

Fe fydde llawer o'r rhai y bydden ni'n mynd i'w gweld yn byw mewn mannau diarffordd iawn a llawer iawn o'r bobol hynny, yn enwedig yn y dyddiau cynnar, heb set deledu. Rwy'n cofio mynd i Gwm Ffernol yn ochrau Pennal at frawd a chwaer, Catrin a Huw. Roedd y ddau wedi 'nghlywed i ar record ond heb erioed fy ngweld i.

Ond, er gwaetha hynny, roedden nhw'n gwybod be' oedden ni ei angen. Roedden nhw wedi paratoi rhag blaen drwy dynnu allan ar ein cyfer ni hen offer – llifiau, gwelleifiau a hen beiriannau oedd wedi bod yn eiddo i'w tad a'u teidiau. Meddwl, hwyrach, ein bod ni'n mynd i ffilmio'r diwrnod hwnnw. Fe fydde'r camddealltwriaeth yna'n digwydd yn aml.

Weithiau fe gaen ni fynd i gartrefi pobol lle nad oedd croeso i eraill fel arfer. Rwy'n cofio'n dda mynd i un tŷ – wna i ddim dweud ble – a dyna lle'r oeddwn i'n eistedd ar y soffa a Geraint yn eistedd yr ochor draw. 'Dyw golwg Geraint ddim yn wych ond roedd y gegin mor dywyll doeddwn i'n gweld fawr iawn chwaith. Ond doedd Geraint yn gweld dim. Pob hyn a hyn rown i'n clywed rhyw sŵn od iawn. Rhyw gwynfanu rhyfedd, sŵn pytian a sŵn siffrwd ac ambell sibrydiad rhyfedd. Ond welwn i ddim. Fe ddeallais fod yna gloc yn y gornel gan i hwnnw daro'n sydyn a bron iawn i mi gael trawiad ar y galon. Yna dyma lafn o heulwen yn llenwi'r gegin ac, o fewn yr eiliadau hynny, dyma weld beth oedd yn achosi'r synau rhyfedd. Roedd dwy golomen yn clwydo ar ben y cloc. Fan hynny oedden nhw'n clwydo'n rheolaidd, mae'n rhaid, gan fod papur newydd wedi'i daenu dros fraich y soffa i ddal y dropins.

Ar y fferm yma hefyd roedd yna lygod mawr ac, yn yr achos hwn, roedd mawr yn golygu mawr. Mae'n gas gen i lygod a chathod a, chredwch neu beidio, roedd y pâr yma oedd yn byw ar y fferm yn bwydo'r llygod. Roedd ganddyn nhw hyd yn oed enwau arnyn nhw. A chathod! Welais i ddim cymaint o gathod ar fferm erioed. Doedd dim gwahaniaeth pa ffenest yr edrychech arni, roedd yna gath naill ai yn edrych allan drwyddi neu'n rhyw orweddian ar silff y ffenest.

Teithiau o gasglu hanesion ac o chwerthin fydde'r ymweliadau hyn. Fe gofia i un diwrnod pan oedden ni yng nghwmni Alun Pierce, Porthmadog. Roedd e'n ddyn ffraeth ac yn fardd slic, un clyfar iawn gyda'i ddefnydd o frawddegau. Rwy'n ei gofio fe'n dweud unwaith am ryw gi coch fel 'ci weithith mewn cae eithin'. Rwy'n cofio Alun hefyd fel chwerthiniwr braf. Pan fydde fe'n chwerthin fe fydde'n newid ei liw o wyn i goch. Pan fydde fe'n chwerthin yn uwch bydde'n troi o goch i las. Fe fedra i ei weld e' nawr a'i damaid o fwstash a'i het fach porc pei.

Roedd Alun yn ysgrifennydd yr FUW ym Mhen Llŷn ac ochrau Sir Gaernarfon. Fe fydde'n mynd â ni fyny i Gwm Ystradllyn ac yn aros yma ac acw wrth ymyl ffermydd a thyddynnod, y rhan fwya'n wag erbyn hyn. Yno y bydde fe'n adrodd hanes yr hen gymeriadau oedd yn arfer byw yno. Fe dreulion ni ddiwrnod cyfan yn ei gwmni unwaith, yn gwrando ar ei straeon. Roedd e'n eisteddfodwr pybyr, yn mynd i'r Genedlaethol am wythnos bob blwyddyn yng nghwmni Gwilym Owen a'r criw.

Fe aeth â ni i Ben Llŷn un diwrnod a galw i mewn i wahanol gartrefi. Roedd wedi adrodd straeon wrthon ni am y gwahanol bobol oedd yn byw yno cyn i ni gyrraedd, ac oherwydd hynny roedd hi'n gythreulig o anodd cadw wyneb syth mewn ambell le. Fe ffeindiodd aml i stori i ni. Unwaith fe aeth â ni i weld hen ledi fach mewn tyddyn yn Rhiw a honno, er ei bod hi'n anelu at ei nawdegau, yn mynnu gwneud te i ni. Hen deip oedd hi, yn gwisgo dillad tywyll ganol haf crasboeth a ffedog wen am ei chanol. Roedd wedi bod yn palu'r ardd a chodi'r tatws a thocio gwrychoedd, yn union fel dyn. Braint oedd cael mynd at y fath gymeriadau. Y gyfrinach oedd mynd yng nghwmni rhywun oedden nhw'n ei nabod. Roedd ganddon ni siawns wedyn i'w cael nhw i gytuno i gael eu ffilmio. Hynny, a thipyn o dynnu coes, wrth gwrs. Rwy'n ffodus fod hwnnw'n rhan ohona i. Fe all ychydig bach o hiwmor fynd â chi yn bell iawn.

Y criw ffilmic hefo gweithwyr Melin Llynon, Ynys Môn yn 1986.

Morwr tir sych yn ceisio dygymod â'r tonnau.

Paratoi i ganŵio – profiad fel eistedd ar ŵy.

Cwch Gareth Williams, Sgadenyn, yn hwylio'n braf oddi ar arfordir Sir Benfro – ond doeddwn i ddim yn teimlo mor braf.

Chafodd Sam Tân erioed y fath broblem – ffilmio Brigâd Dân Cerrigydrudion.

Aelod dros-dro o Frigâd Dân Cerrigydrudion yng nghwmni Joe Bwlch a'i frawd, y diweddar Hywel.

Yng nghwmni'r dringwr byd-enwog Eric Jones cyn yr abseilio.

Cael gwers abseilio gan Eric tra ar ysgwyddau'r Warden, Gareth.

Hongian ar wefus y graig ar gefn Gareth.

Mae pawb call yn gwisgo helmed i ddringo, ond rwyf i'n dringo Tryfan mewn cap fflat.

Achub Dai ar yr Wyddfa. Paned o de yn gysur.

Fy ymweliad cyntaf erioed ag Eryri. Sylwch ar y wisg gwbl anaddas.

Yr anfarwol Ifan Roberts, y naturiaethwr dall o Gapel Curig.

Gyda'r cymeriad mawr Alun Pierce, ffynhonnell aml i stori yn Eifionydd a Phen Llŷn.

Lluniau fel hyn sy'n denu pobol at Gefn Gwlad – gyda'r diweddar Wil Croesor ar y Cnicht.

Ar foto-beic yn y rhaglen gyntaf erioed o Gefn Gwlad i mi ei chyflwyno.

Ar drac trotian Aberdüor, Tregaron cyn bod sôn am y gyfres Rasus.

Adre ar y fferm ym Merthlwyd yn paratoi i fwydo'r gwartheg.

Ar ferlen Jim Troedrhiw, Rhandirmwyn. Bu Jim yn bugeilio ar fynydd Tregaron.

Adre ym Merthlwyd ymhlith y defaid.

Yng nghwmni Don Garreg Ddu yn yr eira, hwyrach y rhaglen orau oll.

Marchogaeth yng nghwmni Spens Pugh yn Nyffryn Ceiriog.

Yng nghwmni'r tafarnwr a'r masnachwr ŵyn tewion Dic Pepper o Gasnewy-bach, Sir Benfro.

Paratoi un o'n rhaglenni Nadolig gydag Aled Owen yn dilyn ei ail lwyddiant yn y treialon cŵn defaid rhyngwladol. Bellach ef yw pencampwr y byd.

*Ar sgil moto-beic Lyn
Davies, Ty'n ddraenen,
Trefenter. Taith i'w chofio.*

*Ar fynydd Tregaron gyda Jac
Dolgadfa a fu'n rasio yn y TT
gyda Robin Jac. Fe fyddai Jac
yn rhoi paraffin a chastor oil
yn y tanc yn lle petrol.*

Felly y bydden ni'n dod o hyd i bobol i'w ffilmio ar gyfer y gwahanol raglenni a'r hyn oedd yn bwysig oedd eu bod nhw'n ymwneud â chefn gwlad. Yr un mor bwysig oedd darganfod yr amrywiol bethe y bydden nhw'n ei wneud. Peth arall sy'n bwysig iawn yw'r lleoliadau. Allwch chi ddim mynd i Sir Aberteifi neu Sir Gaerfyrddin neu Sir Fôn neu Ben Llŷn byth a hefyd. Mae'n rhaid amrywio'r dalgylch sy'n cynnig y storïau. Mae'n bwysig cael hanesion o bob rhan o Gymru.

Un o gyfrinachau llwyddiant y rhaglen yw mai criw bach sy'n gwneud y penderfyniadau. Tri ohonon ni sy'n rhedeg y sioe. Geraint, Marian, sef y cynorthwy-ydd cynhyrchu, a finne. Mae'r criwiau ffilmio yn amrywio. Ond fe fyddwn ni'n tri yn trafod pob peth fyddwn ni'n wneud, ac yn cytuno'n ddieithriad. Fe fydd yna drafod, fe fydd yna ddadlau ond dydyn ni erioed wedi gwneud rhaglen heb i'r tri ohonon ni gytuno'n unfryd, unfarn. Drwy'r cyfan i gyd mae un yn helpu'r llall. Pan fod rhywun yn anghofio enw neu gyfeiriad neu rif ffôn hwn a hwn neu hon a hon, fe fydd un o'r ddau arall yn siŵr o fod yn gwybod.

Erbyn heddiw mae'r drefn o chwilio am straeon wedi newid rhyw ychydig. Marian a fi fydd yn mynd o gwmpas tra bod Geraint yn golygu yng Nghaerdydd. Gan fod ganddon ni gymaint o raglenni mae yna waith chwilio. Dyw e' ddim yn waith anodd o gwbwl gan fod pobol, yn ffeind iawn, yn rhoi gwybod i ni am stori fan hyn neu gymeriad fan draw. Tra mae yna bwmp petrol neu siop y pentre, fe ddaw'r storïau. Does dim gwahaniaeth os fydd un ohonon ni'n galw am betrol, am bapur newydd neu am botel o bop, yr un fydd y cyfarchiad. Yn y Gogledd, yn fy achos i, fe fydda i'n cael, 'Dew, be' dach chi'n da ffordd hyn, Dei Jones? Be' sy' mlaen? Lle dach chi wrthi rŵan? Ew, dyna'i chi gymeriad sy'n byw fan acw. Mi ddo i efo chi i'w weld o.' Yn y De wedyn, galw yma ac acw mewn siop neu orsaf betrol a rhywun yn siŵr o ddweud, 'Jiw, jiw, Dai Jones. Be' chi'n neud ffordd hyn, 'te? Odi chi wedi clywed am yr hen foi 'ma sy'n byw yn y pentre? Dyna'i chi ddcryn. Dewch gyda fi i'w weld e.'

Cyn belled ag y mae rhaglenni sydd ag arlliw o antur yn gysylltiedig â nhw, Geraint sy'n ffeindio'r rheiny. Fe fabwysiadwyd y testun 'Dai yn...', hynny yw, fi yn gwneud rhywbeth penodol. Rhywbeth gwirion fel arfer. Unrhyw beth sydd â theitl fel *Dai yn y Canŵ*, *Dai yn Eryri*, *Achub Dai*, *Dai yn Ffrainc*, *Dai yn Kenya* a *Dai yn Seland Newydd*, Geraint sy'n gyfrifol am feddwl am rheiny – a *Dai ar y Piste*, wrth gwrs. Honno sy'n cael ei chofio orau fel y mwyaf doniol. Petaen ni wedi gwneud fersiwn Saesneg ohoni, rwy'n siŵr y bydde hi wedi ennill ei phlwyf yn yr iaith honno hefyd. Roedd hi'r math o raglen oedd yn taro tant gyda'r gwylwyr. Mae sgïo yn weithgaredd mor boblogaidd, miloedd yn mynd ar wyliau sgïo bob blwyddyn, felly roedd yna lawer iawn o wylwyr yn medru gwerthfawrogi'r arteithiau rown i'n mynd drwyddyn nhw, ac yn medru uniaethu â fi. Bonws pellach oedd fy mod i'n dysgu sgïo yng nghwmni ffermwr arall o dop Gwytherin, Wil yr Hafod.

Antur fawr arall oedd honno pan gawson ni'n dal ar Ynys Enlli dros nos heb ddim ond pecyn o fisgedi 'Garibaldi' i'w siario rhwng saith ohonon ni. Fe gawson ni'n taro gan storm tra'n croesi Swnt Enlli ac, ar ôl cyrraedd, fe fu'n rhaid i ni aros i'r storm ostegu cyn medru dod 'nôl. Bu'n rhaid aros am noson yn hwy na'r bwriad.

Ffilmio, dro arall, stori ar Eirian Ad-clad, bachgen o Lanwrda sy'n gwerthu defnyddiau fel coed, sinc, asbestos ac ati ar gyfer adeiladu.

Roedd ganddo fe falŵn ac fe aethon ni i fyny ynddi un pen bore. Er i ni lanio mewn coeden ddysgon ni ddim o'r wers honno gan fynd i fyny eto ar y min nos, o gomin Llangadog. Fyny â ni i'r entrychion ac, erbyn i ni gyrraedd uwchlaw Llanymddyfri, fe gawson ni'n hunain yn union uwchben gwifrau trydan. Yn wir, oddi tano ni roedden ni'n medru clywed pobol yn siarad ar y stryd yn y dre. Roedd hi'n hen bryd i ni ddisgyn ond roedd y gwynt yn ein cadw uwchben y peilonau trydan, a hymian y trydan pwerus i'w glywed yn glir yn ein clustiau.

Mae'n bosib i chi wneud i falŵn fynd i fyny a dod i lawr ond, unwaith fyddwch chi i fyny, ry'ch chi ar drugaredd y gwynt. A dweud y gwir, rown i'n barod i neidio allan, fi a'r dyn camera, y dyn sain ac Eirian. Erbyn i ni gyrraedd Cynghordy, ddwy filltir o Lanymddyfri, dyna lle'r oedd Geraint Rees yn bloeddio o ben clawdd: 'Ry'n ni wedi cael digon nawr, Dai. Fe allwch chi ddod lawr pryd y mynnoch chi.' Finne'n ateb ein bod ni wedi cael digon ers tro a mai methu â dod lawr oedden ni. Ond lawr y daethon ni o'r diwedd, gan ddisgyn ynghanol diadell o ddefaid brithion mewn cae yng Nghynghordy.

Ie, Geraint sy' wedi bod yn gyfrifol am ffeindio'r storïau antur i gyd, rhaglenni awr fel arfer. Mae ganddo fe gymaint o ffrindiau yn ardal Eryri, pobol fel Eric Jones y dringwr, y ddau wedi bod yn agos iawn ers dyddiau ysgol. Fe alla'i ddychmygu'r ddau yn sgwrsio dros baned ac yn dychmygu beth fedren nhw ei wneud â fi. Fe fyddwn i'n barod i wneud bob tro yn ôl y gofyn, hyd yn oed bethe na fyddwn i wedi breuddwydio'u gwneud oni bai am *Cefn Gwlad*.

Rwy wedi dringo Tryfan gyda Tom Tomos. Nawr does dim llawer o ffermwyr o ganol Sir Aberteifi all ddweud iddyn nhw wneud hynny. Rwy wedi abseilio Bwlch Moch a rwy wedi bod ar ganŵ ar Lyn Glaslyn.

Y gynta wnes i oedd dringo Tryfan. Own i erioed wedi dringo o'r blaen ond dyma fynd lan a wyddwn i ddim beth oedd yr enwau a'r termau am yr offer. Tom yn dweud bod angen caribina fan hyn a piton fan draw.

Doedd gen i ddim syniad am beth oedd e'n siarad. Rown i'n mynd lan heb wybod beth o'n i'n wneud. Rwy'n cofio mynd fyny'r hen graig honno ac edrych lawr ar y ffordd sy'n mynd o Gapel Curig i Fethesda. Doedd y ceir, y bysus a'r loris ddim yn edrych yn fwy na theganau Corgi. Fe welwn i fws yn pasio a doedd o'n edrych ddim mwy na phram. Crynu fel deilen. Gwelodd Tom o'r dechre 'mod i'n nerfus a dyma fe'n gweiddi, 'Dai, ymlacia'. 'Damio,' medde fi, 'paid â llacio dim!' Doeddwn i ddim yn gyfarwydd â iaith y Gogledd bryd hynny.

Un o gynghorion Tom oedd i fi beidio edrych i lawr wrth ddringo. Ond mi wnes. Dyna lle'r own i'n mynd rownd rhyw gornel bach. Dyna beth cythreulig yw hynny. Ry'ch chi'n rhoi'ch coes allan er mwyn mynd rownd i'r ochr. A dyma feddwl – be' sydd o dan y droed 'na? Rwy'n cofio rhywun yn disgrifio rhywbeth peryglus unwaith fel chware marblis ar bafin tragwydd-oldeb. Dyna beth oedd o dan fy nhroed i ar y pryd. Dim ond pafin tragwyddoldeb a Tom yn dweud wrtha'i, 'Cydia fanna, mae gen ti afael da fanna'. Gafael! Dim ond rhyw grac bach yn y graig oedd e.

Rwy'n cofio rhai pobol a welodd y rhaglen yn dweud wrtha i wedyn 'mod i siŵr o fod bron â llenwi fy nhrowsus. Sut fedrwn i lenwi fy nhrowsus a'r rhaffau mor dyn amdana i? Diawl, roedd y rhaffau fel tannau telyn. Wedyn, yn sydyn, fe saethodd un o'r caribinas yma heibio 'mhen i fel gwennol. A finne'n meddwl y byddwn i'n disgyn gydag e. Ond lan â fi. Nawr ac yn y man fe fydde angen newid tâp. Finne'n hongian fel corryn ar ochr y graig yn disgwyl iddyn nhw newid y tâp, a'r criw yn tynnu 'nghoes i drwy ddweud eu bod nhw'n am fy ngadael i yno tra'u bod nhw'n mynd bant am baned. Newydd ailddechrau dringo ar ôl newid tâp own i pan ymddangosodd yr awyren yma. Honno'n gwibio heibio nes bod yr holl le'n diasbedain. Yr hyn wnaeth godi'r ofn mwyaf oedd fy mod i'n medru gweld drwyddi, i mewn drwy un ffenest ac allan drwy'r llall. Rown i'r un uchder â hi!

Fe wnaed y dringo i gyd mewn diwrnod. Unwaith wnes i gyrraedd y brig, doedd dim un ffordd y gwnawn i ddringo Tryfan nac unrhyw fynydd arall wedyn. Antur unwaith mewn bywyd oedd honno, a hynny'n llythrennol. Rwy'n trysori'r profiad erbyn heddiw. Ond fe ges i gathod bach go iawn ac mae pawb yn gwybod gymaint rwy'n casáu rheiny. Ond chwarae teg i'r rhaffau, mae nhw i'w canmol am lwyddo i ddal y fath bwysau.

Yr ail antur oedd teithio mewn canŵ, eto yng nghwmni Tom Tomos. Os nad ydych chi wedi bod mewn canŵ erioed, fedrwch chi ddim gwerthfawrogi'r fenter na'r ofn. Mae eistedd mewn canŵ yr un fath yn union ag eistedd ar gefn ŵy. Dim ond i chi anadlu, mae e'n symud.

Fe ges i fy ngosod yn y canŵ bach i ddechre, a hynny ar Lyn Padarn. Y dŵr yn groyw a grisial. Crynu! Bobol bach. Dyma gael cyfarwyddiadau ar yr hyn ddylwn i ei wneud petawn i'n troi drosodd. Y nefoedd fawr, petawn i'n troi drosodd, wn i ddim hyd heddiw sut ddown i mas. Roedd Tom yn eistedd wrth fy ymyl i ac yn ceisio fy nghadw i'n weddol llonydd. Fe wydde fe o'r gorau petawn i'n symud mai drosodd yr aen ni. Gofynnais iddo fe pa mor ddwfn oedd y llyn. Yntau'n ateb yn hamddenol, 'O, dydi o ddim yn ddwfn iawn. Dim ond tua deg troedfedd ar hugain lle 'da ni rŵan'. Rown i wedi cael cyngor petai ni'n troi drosodd, y dylwn i ddal fy anadl. Ar ôl clywed ateb Tom, rown i eisoes wedi stopio anadlu.

Wedyn rhaid oedd rhoi cynnig ar ganŵ Canadaidd. Roedd hwn yn fwy ac yn ymddangos yn ddiogelach. Y syniad oedd mynd i lawr afon Glaslyn, heibio Hafod Rhisgl a Gwastadanas. Yma ac acw yng nghanol yr afon roedd cerrig mawr ac roedd hi'n amhosib stopio a fi oedd y tu blaen! Wnes i byth fynd mewn i ganŵ wedyn, ac af i byth chwaith.

Roedd honno'n daith a hanner. Cyngor cyson Tom oedd i fi beidio byth ag edrych 'nôl. Wrth edrych 'nôl nawr rwy'n diolch i Dduw, ac i Tom, i fi lwyddo i gyrraedd y llyn heb foddi.

Mae'n rhyfedd fel mae pobol yn mwynhau gwylio'r rhaglenni mentrus yma ac wrth eu bodd fy ngweld i mewn rhyw strach. Ar un adeg tra'n ffilmio'r canŵio rown i'n teimlo'n newynog ond, wrth ymhél â champau corfforol fel canŵio neu ddringo, y peth pwysig yw i chi beidio â bwyta gormod. Gwneud yn siŵr nad yw'r stumog yn rhy llawn. Wnes i ddim meddwl dim byd wrth fynd gyda Tom i Pete's Eats, lle arbennig iawn yn Llanberis lle y ces i bryd sy'n cael ei adnabod fel Big Jim. Mae Big Jim yn un o'r prydau mwya sy'n bod: tun cyfan o fîns, dau neu dri ŵy wedi'u ffrio, hanner mochyn o facwn, madarch, tomatos, faint fynnoch chi o sosejus, bara saim, tost a llond myg o de. A ma' mygs Pete's Eats rywbeth yn debyg i'r hen tshyrns llaeth hynny ers talwm. Dyna lle'r own i yn taclo'r Big Jim, a Tom, a oedd yn wynebu'r un gorchwyl â finne yn y canŵ, yn bodloni ar ddwy dafell o dost a phaned bach o goffi du.

Dyna i chi'r anturiaethau abseilio wedyn yng nghwmni Eric Jones. Am ryw reswm rown i'n teimlo'n berffaith saff yng nghwmni Eric. Mae ganddo ryw ffordd arbennig iawn o dawelu'r nerfau. Rown i'n teimlo fod Eric wedi gosod rhyw sylfaen i fi, gan wneud i fi deimlo na fydde dim byd yn mynd o'i le. Y peth gwaetha wrth abseilio yw'r awyr iach ar y top wrth i chi gamu drosodd. Yno y bues i am tua dwy awr yn methu â gadael fy hunan fynd. Methu'n lân â gollwng gafael ac Eric yn trio dangos i fi sut oedd pwyso 'nôl, gollwng a disgyn. Ar glogwyn uwchlaw Porthmadog oedden ni a'r gwagle oddi tanon ni fel y Grand Canyon. Fedrwn i yn fy myw ddim gollwng fy ngafael. Cyngor i unrhyw un wrth abseilio am y tro cynta – ac oni bai eich bod chi wedi blino ar fyw fyddwn i ddim yn ei argymell – ry'ch chi'n gollwng eich hunan yn ôl. Wedyn wrth fynd tuag i lawr ry'ch chi'n fel 'tai chi'n bownsio. Ond mae'n rhaid i chi gadw i fownsio. 'Chi damaid gwell, fel y gwnes i, o aros i gael eich gwynt.

Yn rhyfedd iawn, o blith yr holl bethe mentrus rwy wedi ymgymryd â nhw, yr abseilio oedd y gorau. Un calondid mawr oedd fod Eric yn dod lawr gyda fi bob cam o'r ffordd ar hyd y graig.

Meddyliwch am y sefyllfa. Rown i'n mynd i mewn i'r anturiaethau hyn heb damaid o sgript, dim ond llond bol o arswyd a chryndod. Roedd yr abseilio yn hanner awr o raglen ac roedd angen llenwi hynny o amser. Wnaeth yr abseilio ei hun ond para munud neu ddwy ond y cyfan oedd y gwylwyr am ei weld oedd y strach rown i ynddo wrth ddisgyn o'r top i'r gwaelod. Ond fe ffeindiodd Eric a finne y pynciau rhyfedda i siarad amdanyn nhw wrth lenwi'r amser.

Mae Eric yn arbenigwr ar grog-gleidio a neidio allan o awyrennau yn sownd wrth barasiwt. Rwy'n cofio mynd gydag ef i ochrau Amwythig lle'r oedd y ddau ohonon ni yn mynd i gael ein ffilmio yn neidio allan o awyren. Fe es i fyny ynddi hi. Roedd popeth wedi'i baratoi a'r parasiwt wedi'i osod amdana'i a dyna lle'r own i'n barod i neidio allan gyda Eric. Ond, y funud yr es i ben y drws agored, hen ddrws mawr yn sleidio ar ochr yr awyren, dyna'i diwedd hi. 'Ta-ta, Eric,' medde fi, 'Bant â ti. Fe ddô' i gyda'r awyren pan ddaw honno lawr.' Allwn i ddim bod wedi parasiwtio hyd yn oed petai rhywun wedi cynnig holl aur a ffortiwn Periw i fi.

Fe wnes i abseilio gyda Eric, do, ond fel yn hanes y campau eraill hynny, byth eto. Ond am y parasiwtio, ddim hyd yn oed unwaith, diolch yn fawr. Mae gen i edmygedd mawr o'r bobol sy'n mentro ar y campau eithafol yma ond rwy'n meddwl yn aml iawn nad ydyn nhw'n hanner call.

Mae 'na ganlyniad doniol iawn i ffilmio gydag Eric. Meddyliwch amdano. Mae wedi dringo wyneb gogleddol yr Eigr; wedi bod ar Everest; wedi neidio lawr o dop rhaeadr anferth yn Ne America ac wedi gwneud llawer o bethe anturus eraill ond pan fo rhai pobol yn cyfarfod ag ef am y tro cynta, yr hyn gaiff e' yw: 'Chi sy'n dringo gyda Dai Jones, ontefe'. A dyna'r peth doniol, meddwl ei fod wedi gwneud cymaint ond yn cael ei gysylltu â rhyw damaid o ffermwr bach lletchwith fel fi.

Menter arall wedyn oedd mynd i ben Yr Wyddfa fawr. Roedd hynny'n golygu cerdded i fyny'r holl ffordd o Ben y Pas. Y bwriad oedd canfod beth fydde'r gwahaniaeth yn y tywydd ar y gwaelod ac ar y ffordd lan. Roedd hi'n fore braf, hyfryd a dyma wisgo'r sgidiau pwrpasol i gerdded. Mynd lan wnes i yng nghwmni Wardeniaid y Parc, a mynd â brechdanau a fflasgiau gyda ni mewn pac ar ein cefnau. Wrth ddringo ar hyd y trac dyma ganfod rhew, a chael cyfle i ddysgu sut oedd croesi ar hyd y rhew gan ddefnyddio bwyell. Dysgu defnyddio honno'r ffordd iawn rhag ofn y byddwn i'n llithro a chael damwain. A wir, ar ôl ambell i sglefriad ar fy mol ac ar fy nghefn, fe lwyddais i ddod drwy hynny. Fe barodd un sglefriad am ganllath a rown i'n meddwl mai lawr ar y gwaelod fyddwn i.

Mynd lan wedyn a chyrraedd tro Bwlch Moch sydd hanner y ffordd i fyny. Yno fe gawson ni stop am ginio. Roedd hi'n oer, yn rhewi. Brechdanau ham oedd gen i, ond roedd eu bwyta nhw fel bwyta popadom. Y cyfan wedi rhewi'n gorn! Wir i chi roedd popeth wedi rhewi ond y te oedd yn y fflasg. Roedd yna eisicls yn hongian o'n aeliau i a 'nhrwyn i. Rown i'n edrych fel draig. Ond mae'n dda gen i fedru dweud i fi lwyddo i gyrraedd y brig gyda'r bois.

Roedd hi'n digwydd bod yn weddol o glir ac yn rhewi'n galed, ac fe gawson ni olygfa arbennig iawn o'r copa. Roedd e'n waith diwrnod o ffilmio. Dechre am wyth y bore a gorffen tua 4.30 yn y prynhawn. Roedd cerdded i lawr yn llawer gwaeth na cherdded lan. Rwy wedi bod ar ben Yr Wyddfa bellach ar droed ac ar y trên, a hefyd wedi cael fy ffilmio'n achub defaid yno gyda ffermwyr. Fe hoffwn i rywbryd fynd 'nôl i wneud pedol Yr Wyddfa. Ond mae arna'i ofn fy mod i wedi ei gadael hi'n rhy hwyr i hynny.

Mae'r anturiaethau hyn oll yn bethe na feddyliais i erioed y gwnawn i eu cyflawni. Ond mae'n rhaid cyfaddef ei fod e'n deimlad hyfryd o'u cyflawni nhw. Mae rhywun yn hoffi dweud iddo ennill mewn ras gŵn weithiau, neu ennill mewn rhyw sioe. Fel canwr, mae hi'n braf cael dweud i chi ennill mewn gwahanol eisteddfodau. Ac, os y'ch chi'n Gymro, mae'n beth braf hefyd cael dweud i chi gerdded i ben Yr Wyddfa a'ch bod chi wedi dringo Tryfan; wedi abseilio lawr i Fwlch Moch ac wedi bod mewn canŵ ar Afon a Llyn Glaslyn. Mae profiadau fel'na i gyd yn cyfoethogi bywyd rhywun.

Dwi'n meddwl mai'r peth mwyaf doniol, ac mae'n siŵr y mwyaf mentrus, gan fod fy mywyd i'n llythrennol yn nwylo eraill, oedd y rhaglen *Achub Dai* gyda thîm achub Yr Wyddfa. Dyma, yn sicr, un o'r pethe mwya uffernol fues i'n rhan ohono erioed.

Fi oedd y gini pig, ac arna i oedd y bechgyn yn cael ymarfer eu sgiliau achub. Y senario oedd fy mod i wedi torri fy nghoes ar un o greigiau Bwlch Moch. Wedyn roedd yr achubwyr mynydd yn cyrraedd, fy rholio i drosodd a rhoi splints am fy nghoes, fy ngosod ar stretsher ac yna fy ngollwng i lawr yn ara deg ar raff, lawr o dop y graig i'r gwaelod, tua 250 o droedfeddi oddi tana i. Dyna lle'r own i wedi fy nghlymu'n sownd wrth sling, a'r sling wedyn yn hongian ar fachyn wrth i fi gael fy ngollwng i lawr, y traed yn gynta. Yn anffodus, roedd hi'n wyntog, a finne'n swingio'n y gwynt. Rown i'n medru gweld Pwllheli, yna Dolgellau, wedyn Pwllheli, wedyn Dolgellau. Gweld y ddwy dref am yn ail wrth i fi swingio fel pendil cloc. A'r stumog yn troi! Cael fy nghodi 'nôl wedyn, yn syth i fyny, ac yno rown i'n gorwedd a'r bois yn gofyn a own i am baned o de. Ie, paned o de, o bopeth. A finne wedi fy nghlymu'n sownd fel na allwn i symud na llaw na throed! Y bois yn mwynhau paned cyn fy nghysylltu i wrth damaid o raff ddur a 'ngollwng i o un graig i'r llall, yr holl ffordd ar draws y cwymp oedd rhwng dwy graig.

Y gorchwyl gwaetha fel rhan o'r ffilmio oedd abseilio. Ie, hynny eto. Y tro hwn rown i fod wedi troi fy migwrn ac yn cael fy nghario ar gefn Warden i ben craig ucha Bwlch Moch. Wedyn roedd hwnnw'n mynd i abseilio lawr y graig a fi ar ei gefn. Dyna i chi yffach o job. Y ddau ohonon ni'n bownsio lawr wyneb y graig yn sownd wrth ein gilydd.

Doedd dim medal am wneud hynny. Dim Rhuban Glas. Rown i'n cael yr union ffi am fod â'm dwy droed yn sownd ar y ddaear yn siarad â rhyw William Jones ar ganol y clos mewn unrhyw fan yng Nghymru. Y fenter o wneud oedd y peth mawr, a'r ffaith y medrwn i ddweud i mi lwyddo i'w wneud e.

Dyna anturiaethau Eryri. Ond am yn ail ag anturiaethau Eryri roedd y cyfle yn dod i gyfarfod â phobol ddiddorol yr ardal. Fe wnes i ffilmio'r *Pedwar Tymor* yn Eryri. Cefais y fraint hefyd o wneud dwy raglen ar y naturiaethwr diddorol hwnnw, Ifan Roberts, Capel Curig.

Erbyn i fi gyfarfod ag ef roedd Ifan Roberts wedi mynd i dipyn o oed, ac yn ddall. Hwn oedd y profiad cynta erioed i fi weithio gyda dyn dall. Roedd e'n ddyn hyfryd a fedrech chi ddim dweud ei fod e'n ddall. Roedd e' hyd yn oed yn nabod y llwybrau. Ar ôl cerdded sbel a chlebran fe fydde fe'n anghofio lle bydde fe ac yna byddai'n gofyn i fi ei droi i wynebu'r pentre. Finne'n gwneud. Wedyn bydde'n enwi'r creigiau oedd ar y dde iddo fesul un, wedyn y creigiau oedd ar y chwith. Wedi colli ei olwg yn gymharol hwyr yn ei fywyd oedd Ifan. Roedd e' wedi bod yn gweld yn iawn ac yn arbenigwr ar flodau gwyllt Eryri, yn enwedig blodau Cwm Idwal. Fe ddywedodd pa flodau oedd ar y mynydd, pa lysiau ac yn y blaen ac roedd e'n gwybod eu hanes nhw i gyd ac yn gwybod am y nentydd a'r afonydd. Roedd e'n arllwys te gan wrando ar sŵn y te yn llenwi'r cwpan a hynny oedd yn dweud wrtho pan oedd y cwpan yn llawn. Yr un peth wrth arllwys y llaeth, fe fydde fe'n dal ei fys lawr at ymyl y cwpan ac yn arllwys y llaeth o'r jwg. Ffeindio'r siwgwr wedyn heb unrhyw drafferth.

Ar gyfer y rhaglenni fe aeth a fi o gwmpas y llwybrau y bydde fe'n arfer eu cerdded. Fe aeth â fi 'nôl i'w hen ysgol yng Nghapel Curig, sydd bellach wedi cau. Sôn am y troeon pan y câi e'r gansen gan yr athrawes am gamfyhafio. Fe ddigwyddai hynny'n aml gan y bydde fe'n gadael yr ysgol byth a hefyd amser chware i fynd i'r mynyddoedd i chwilio am flodau. Erbyn heddiw mae e'n cael ei gydnabod fel un o'r mawrion ym myd blodau a llysiau gwyllt mynyddig.

Fe soniais i am y *Pedwar Tymor* ar Eryri. Fe ffilmion ni yn Hafod y Llan hefyd, gan gychwyn y rhaglen gyda'r diweddar Pyrs Williams. Mae'n chwith heddiw meddwl fod fferm Hafod y Llan wedi mynd i'r Ymddiriedolaeth Genedlaethol. Roedd Pyrs yn berchen ar bac cŵn hela Eryri, rhai gwahanol i gŵn hela eraill, roedden nhw'n deip arbennig.

Fe ddigwyddodd rhywbeth doniol bryd hynny. Mae ganddo ni bob amser ddyn camera a dyn sain ac roedd y dyn sain oedd yn digwydd bod gyda ni yn un gweddol ara yn symud. Roedden ni wedi bod yn ffilmio'r cŵn ac yn barod i'w gollwng nhw'n rhydd o'u llociau. Popeth yn barod ond roedd y dyn sain yn dal i wneud rhywbeth i'w offer ac yn sefyll yn union ar y llwybr y bydde'r cŵn yn ei gymryd. Ninnau'n dal i ddisgwyl iddo symud. Y cŵn nawr ar eu hanterth yn udo am gael dod allan ond y dyn sain yn dal i ymbalfalu. Dyma Richard, ŵyr i Pyrs, yn gofyn yn ddiamynedd, 'Ydych chi'n meddwl y medrwn ni symud y dyn twrw 'ma?'

Ie, dyn twrw. Dywediad da iawn am ddyn sain.

JAMBO BWANA

'Nôl yn yr Wythdegau fe ges i'r fraint o fynd allan i Kenya i ffilmio chwe rhaglen ar fywyd gwyllt y wlad honno, yn arbennig yn y Maasai Mara a'r Serengeti. Cyn mynd allan roedd yn rhaid cael llond cae o frechiadau yn erbyn dal gwahanol glefydau a chael fy siarsio rhag yfed y dŵr lleol.

Fe ges i ofn cyn mynd. Yn enwedig ofn y doctor. Mae gen i ofn doctor yn fy nhin. A dweud y gwir, rwy ofn nyrs hefyd, nes aiff hi'n dywyll, ond roedd gofyn cael y brechiadau. Rown i wedi bod yn Nhregaron yn cael y brechiadau yma gyda Doctor Turner, a hwnnw'n bwrw'r nodwydd mewn fel 'tai e'n clatsio hoelion i mewn i bishin o bren. Ond fe ges i nhw, yn fy mraich, yn fy nhin – ym mhobman. Rown i'n teimlo fel bwrdd darts.

Ond roedd un brechiad ar ôl, ac roedd yn rhaid cael honno, y brechiad yn erbyn y Clefyd Melyn. Ac, wrth gwrs, mae 'na ganolfannau arbennig ar gyfer cael y brechiad hwnnw – Llunden, Caerdydd neu, o bob man, Amwythig.

Rown i'n brysur yn ffilmio ar y pryd, yn brysur iawn, ac roedd y dyddiad ar gyfer cael popeth yn barod, y brechiadau a'r gwaith papur ar gyfer y teithio, yn agosáu. Fel oedd hi'n digwydd rown i'n ffilmio yn Sir Fôn, a'r arbenigwr oedd i ddod gyda fi ar gyfer y ffilmio yn Kenya oedd y diweddar Ken Williams, neu Ken Polis i rai, y gŵr a fu yng ngofal y ganolfan bywyd gwyllt ym Mhenrhos, ger Caergybi a chyn hynny fe fu'n heddwas yn Y Bala a Llangybi. Roedd Ken yn un o'r cymeriadau mwyaf, rhywun fyddwn i'n ei ddisgrifio fel un dienaid bost.

Wrth i fi fod yn ffilmio yn Sir Fôn dyma Ken yn galw heibio un amser cinio i'n cyfarfod ni yn y Crown ym Modedern. Dyma drafod gyda Ken beth fydde'n bosib ei wneud ynglŷn â'r brechiad Clefyd Melyn yma. Roedd ganddo fe syniad. Roedd wedi gwneud gwaith ymchwil ar y pwnc, a'r syniad oedd 'mod i'n mynd i wersyll yr Awyrlu yn Y Fali, Sir Fôn i gael y brechiad. Roedd i'w gael yno ar gyfer staff y Weinyddiaeth Amddiffyn. O fewn y gwersyll roedd yna ganolfan feddygol, lle'r oedd y serwm arbennig ar gyfer atal y pla ar gael, ond doedd ganddyn nhw ddim hawl i'w roi i neb os nad oedden nhw yn yr Awyrlu, neu'n aelod o'r staff. Ond roedd Ken yn nabod y Pen Bandit, 'Tyd efo mi a fe wnâ i'n siŵr y cei di'r brechiad y pnawn 'ma rŵan', medde fe.

Rown i'n crynu braidd, a Ken yn medru synhwyro hynny, ond doedd dim trugaredd lle'r oedd Ken yn y cwestiwn. 'Paid â phoeni dim,' medde fe. 'Fe af fi a'r car rhag ofn y byddi di'n analluog i yrru.' 'Yn beth?' medde fi. 'Yn analluog i yrru,' medde fe wedyn. Fues i bron â throi 'nôl ond doedd gen i ddim dewis. Fe wydde Ken na chawn i ddim mynd heb y brechiad. Fel petai hynny ddim yn ddigon, dyma fe'n mynd ymlaen wedyn i ddis-grifio'r nodwyddau. Fe bwysleisiodd mai nodwyddau bois y fyddin oedd y rhain, nodwyddau ail-law â'u blaenau nhw wedi pylu. 'Ond paid â gofidio,' medde Ken, 'mae hogia meddygol yr armi'n hogia cryf, fe wnawn nhw'u gwthio i mewn i dy gnawd di yn hawdd iawn.' Erbyn hyn rown i wedi cael llond twll o ofn.

Ond dyma fynd, ac erbyn hynny Corporal Jones own i. 'Dos allan a swingia dy goesau a dy freichiau fel 'tai ti yn y fyddin,' medde Ken. Wnes i erioed gerdded mor strêt yn fy mywyd. Yr unig beth wnes i anghofio'i wneud oedd stampio fy nhraed wrth i fi stopio. Fe ges i'r brechiad ac, wedi'r holl ofidio, doedd e'n ddim byd mwy na phigiad cleren. Wna'i ddim dweud pigiad chwannen rhag i bobol feddwl 'mod i wedi cael y profiad hwnnw.

A dyna ni, yn barod i fynd am Kenya bell ac yn dal i ofidio'n uffernol. Roedd yna daith ddychrynllyd yn ein hwynebu ni. Dyma ni'n ymgynnull, y criw cyfan, a chyrraedd Nairobi a'r Intercontinental Hotel. Y bachan wnaeth ein cludo ni o'r maes awyr oedd rhywun o'r enw Major yn gyrru rhacsyn o hen Ford Consul mawr, ond roedd e'n cynnwys sustem awyru, diolch byth. Roedd Major yn dad i ugain o blant ac yn briod â phedair o wragedd.

Yn union ar ôl cyrraedd fe benderfynais i fynd i'r gwely i orffwys er mwyn bod yn ffit erbyn y nos. Dyma ddiosg fy wats a'i gosod hi ar y bwrdd wrth ymyl y gwely, wats a cherdyn credyd. Drwy ryw ryfedd ras wnes i ddim tynnu fy walet allan. Fe gysgais am ychydig ond, erbyn i fi ddeffro, roedd y wats a'r cerdyn wedi diflannu. Roedd rhywun wedi bod yn y stafell tra bues i'n cysgu. Dyna gyflwyniad gwych i Nairobi.

Dygymod â'r gwres oedd y gamp fwyaf. Rown i'n teimlo fy mod i'n toddi. Er gwaetha hynny, fe dreulion ni'r pedwar neu bump diwrnod cynta yn ffilmio o gwmpas y ddinas, a chael digon ar gyfer un hanner awr o gwmpas Nairobi ei hunan. Roedd y gwesty'n union gyferbyn â chofgolofn Jomo Kenyatta, arwr annibyniaeth y wlad. Yn wir, roedd y gofgolofn yn union gyferbyn â ffenest fy stafell i.

Fe sylweddolais o'r dechre fod y bobol leol yn bobol hyfryd, cyfeillgar ac annwyl iawn. Rown i wrth fy modd gyda nhw ac yn meddwl y byd ohonyn nhw. Fe fedra i gofio o hyd 'mod i'n aros yn stafell 720, hynny'n rhoi rhyw awgrym o faint y gwesty, ac nid honno oedd y stafell ola wedyn, o bell ffordd. Roedd arwyddion yma ac acw, yn y lifft ac yn y blaen, yn ein rhybuddio rhag y merched drwg oedd yno ym mhobman. Fe fydden nhw'n ein dilyn ni, ond cawsom ein siarsio ei bod hi'n bwysig i ni beidio siarad â nhw neu fe fydden nhw'n glynu wrthon ni. Unwaith y caen nhw gyfle i fynd i'r llofft, Duw a'ch helpo. Ond roedd e'n lle arbennig iawn gyda phwll nofio, er bod y môr gerllaw.

Fe gawson ni'n siarsio hefyd am y tywydd. Yr haul yn grasboeth, wrth gwrs. Roedd y dyn sain wedi gwisgo pâr o jîns gyda'r coesau wedi'u torri bant a dim byd o'i ganol i fyny ac fe gysgodd yn sownd allan yn yr haul. Pan ddeffrodd e, welsoch chi ddim byd cochach yn eich dydd erioed. Roedd e'n tywallt eli haul ar ei gorff a hwnnw'n toddi fel oedd e'n disgyn, yn union fel saim ar ffreipan ac, ymhen ychydig ddyddiau, fe biliodd fel tanjerîn.

Gyda ni yn y criw roedd y ferch P.A., oedd yn gofalu am bopeth. Fe aeth honno i orwedd ar lan y môr ac fe es i edrych amdani gyda thiwbin o hufen haul, am hwyl. Dyna lle'r oedd hi, yn gorwedd ar ei bola a'i chefn at yr haul. Dyma fi'n nesáu ati'n dawel bach a gwasgu'r tiwbin nes disgynnodd lwmpyn anferth o'r hufen ar ei chefn. 'O, blydi gwylanod,' medde hi, gan feddwl fod gwylan wedi gadael ei neges ar ei chefn. Yn rhyfedd iawn, welais i ddim llawer o wylanod yno. Llawer o adar o bob math, ond dim gwylanod. Ond fe gafodd un ohonyn nhw'r bai ar gam.

Wrth i ni ffilmio o gwmpas Nairobi, roedd yn rhaid i ni fynd i gartre Ken. Roedd e'n briod â merch prif berchennog cwmni Schweppes a chlamp o dŷ mawr yn Nairobi ganddyn nhw. Tŷ hyfryd yng nghanol y llys-genadaethau mewn stryd o dai gwynion mawr, hefo digon o weision a morynion oedd yn byw mewn cytiau yn y gerddi, ac yn gweithio'n rhad iawn hefyd. Roedd enwau doniol iawn ar rai o'r bechgyn; pob un wedi'i enwi ar ôl diwrnod o'r wythnos. Pan glywais i Ken am y tro cynta yn clapio'i ddwylo ac yn galw, *'Friday, go and get me a gin and tonic'*, fedrwn i ddim llai na chwerthin.

Ar gefn fy ngheffyl – marchogaeth ar dir ffrwythlon Seland Newydd.

Yng ngafael y gyfraith gyda Ken Williams, heddwas a naturiaethwr,
fy nghydymaith ar y Masaai Mara.

Yng nghwmni llwyth y Masaai yn Kenya;
cyfle i 'nghoesau ddal haul.

Yng nghwmni Suzanne Roberts o Fôn, un o brif hyfforddwyr ceffylau rasus Prydain ar dir y Coolmore Stud ger Kildare.

Now, Hogia Llandegai, a fi yn cael ein golchi ar ôl bod yn gwasgu grawnwin.

Mynd i'r fan a'r fan gyda Now yn Ffrainc.

Yn Iwerddon yng nghwmni Wil Llannor, gydag un o'r trigolion lleol a oedd yn cadw gwenyn.

ENTRANCE TO BEE-HIVES

Gyda Wil yr Hafod ar y piste.
Mae gen i het drichornel!

Cael fy nghludo oddi ar y
piste wedi cwymp arall.

Wil yr Hafod a finne yn
gwledda ar y piste.

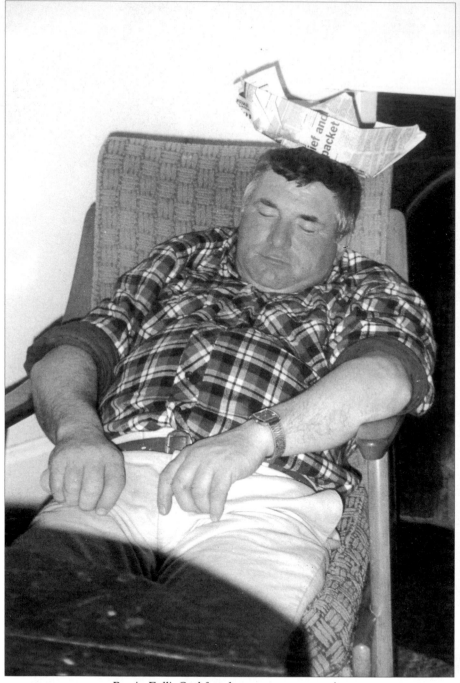

Brenin Enlli. Cael fy nal yn cysgu ar ynys y saint.

Dyma'r ffordd i deithio – mewn
car llusg yn Norwy.

Yn y Wladfa yng nghwmni Benito Owen,
perchennog ffatri gaws yn y Gaiman.

Ger Llyn Rosario yn Y Wladfa. Yma y byddai Lewis Jones yn pori ei wartheg.

Dau Gymro oddi cartref – gyda Tudor
Evans yn Seland Newydd.

Ar y ffordd i'r Ynys Werdd gyda Wil Llannor a llywiwr y Stena Felicity.

Yng nghwmni Goronwy Edwards, Cwmcilan, Llanrhaeadr ym Mochnant, sy'n dal y record bris am hwrdd Cymreig, sef 21,000 gini.

Ar gwch hwylio gyda'r arbenigwr meddygol ar y clustiau, trwyn a'r gwddw, Gareth Williams, a'i griw yn Neyland.

Yng nghwmni'r diweddar Llew y Glo yn Mynydd Llandegai. Fe fues i'n cario glo gydag e' am wythnos.

Catrin Cwmffernol, Pennal wrthi'n gwneud menyn.

Un o gymeriadau mawr Cefn Gwlad, Mary Pantafon, Clynnog Fawr a'r gath, Tomos. Dyma'r agosaf i mi fod at gath erioed.

Now Comins o'r Gaerwen yn arddangos un o'i geiliogod.

Paratoi Fodlas Elwyn ar gyfer sioe fawr Smithfield.

Yng nghwmni'r ffermwr a'r canwr penillion, Emrys Jones, Llangwm.

Dro arall, gweiddi, *'Thursday, go and peel the potatoes'*. Rown i'n disgwyl iddo weiddi, *'Monday, go and do the washing'*. Ond na, Tuesday oedd yn gwneud hynny.

Fe wnes i 'ngorau i ddysgu ychydig o iaith y brodorion, fel *'Jambo bwana'* am 'Shwma'i heddi'. *Jambo Bwana*, gyda llaw, oedd enw'r gyfres. Rwy'n cofio bod allan yng ngardd Ken, ar lan y llyn hwyaid, a gweld Llysgenadaethau America, India a'r holl wledydd eraill, pob un â'i baner genedlaethol. Am hwyl, roedd Ken wedi gosod arwydd Llysgenhadaeth Cymru a baner y Ddraig Goch y tu allan i'w dŷ.

Mynd o gwmpas y ddinas anferthol yma wedyn a gweld miloedd ar filoedd o bobol fel morgrug o gwmpas y lle. Eu gweld nhw'n teithio ar y bysus gorlawn. Dim yn unig roedd pobol yn llenwi'r tu mewn ond hefyd yn hongian ar hyd yr ochrau fel mwncïod, a hyd yn oed yn eistedd ar y to, gan groesi eu cocsau'n hamddenol a darllen papur. Sut oedden nhw'n llwyddo i fynd fyny i ben to bysus deulawr, does gen i ddim syniad. Loris oedd yn cario pobol i'w gwaith yn y bore. Dim ond codi llaw oedd ei angen a fe fydden nhw'n gweiddi'n gyfeillgar, *'O, masa, nice to see you, masa'*. Pobol annwyl tu hwnt.

Cafodd Ken ryw syniad yn ei ben y dylwn i ga'l fy ngwallt wedi'i dorri. Roedd yna fechgyn yn torri gwallt ar bob stryd bron, a hynny allan yn yr awyr agored ond doedd y taclau oedd ganddyn nhw ddim yn addas at dorri gwallt fel fy ngwallt i. Roedd fy ngwallt i'n syth tra roedd gwallt y brodorion yn gyrliog tynn. Dim ond trim oedd ei angen arnyn nhw, yn union fel y byddwn i'n rhoi trim i'r hyrddod cyn mynd â nhw i sêl yr Hydref. Dim ond torri'r blaen a chymoni. Ond pan ddaeth y torrwr gwallt arbennig yma at fy ngwallt i, oedd e' siŵr o fod yn meddwl ei fod e'n edrych ar ben-ôl mwnci. Swahili oedd y bachan yn ei siarad a Ken yn ceisio esbonio wrtho fe,' *Cut, cut, … film money, money'*. Pan

49

welodd e'r arian, fe ddeallodd. Dyna un peth amdanyn nhw, roedden nhw'n disgwyl pres am bopeth. Dim ond iddyn nhw ddweud 'Helo' wrthoch chi, roedden nhw'n disgwyl ca'l tip. Mae'n nhw'n deall arian. Yn wir, fe fedren nhw ddysgu gwers i Gardi. Pan ddangosodd Ken yr arian, dyma dorri. Wrth gwrs, own i ddim yn medru gweld beth oedd yn digwydd ond own i ddim yn gofidio, wedi'r cyfan, roedd e'n farbwr. Ond pan wnes i edrych yn y drych fe ddois i'r casgliad nad oedd y boi wedi bod yn farbwr yn hir iawn.

Fe ges i gyfle i dalu 'nôl i Ken. Allan yn y Maasai Mara yn ddiweddarach, fe ffilmiwyd dilyniant bach yn cynnwys Ken a finne mewn pabell, yna yn cysgu allan yn yr awyr agored, a darn lle'r own i yn torri gwallt Ken. Credwch chi fi, fe gafodd e' farbad. Doedd ganddo fe fawr ddim ar y top fel oedd pethe ond fe wnes i'n siŵr fod yr ochrau'n matsio.

Fe aethon ni i'r marchnadoedd wedyn. Roedd carth-ffosydd yn gwbwl agored yno a dyna lle'r oedden ni mewn marchnad ffrwythau yng nghanol y llanast. Y drewdod o'r carthffosydd yn denu pryfed, a'u pryfed nhw'r un faint a'n gwenoliaid ni. Ro'n nhw'n anferth.

Marchnad gig wedyn a gweld dau ohonyn nhw'n lladd eidion, a'r ddau hyd at eu penliniau mewn perfedd. Mae 'na lawer o feirniadu ar ein lladd-dai ni – fe ddylai'r beirniaid fynd allan i Kenya. Blingo a thorri wedyn â bwyelli yn union fel petai nhw'n torri coed tân.

Fe wnaen nhw drio gwerthu unrhyw beth i chi, crefftwaith o bob math, a phawb yn daer i chi brynu. Y peth gwaetha fedrech chi ei wneud oedd gofyn pris rhywbeth.

Mewn un farchnad roedd dyn gwerthu nadroedd a dyma Ken yn dweud, 'Dos â neidr adra i Musus. Fe fydd hi wrth ei bodd cael neidr'. 'Neidr,' medde fi, 'be' ddiawl wneith hi â neidr?' Ond fe aethon ni draw am hwyl at y gwerthwr. Roedd ganddo fe un neidr anferth.

O ran trwch, yn union fel peipen cwteri pedair modfedd, a honno'n gorwedd mewn bocs. Dyma'r dyn yn fy ngalw i draw a'r camera'n troi a Ken yn ceisio fy mherswadio na wnâi'r neidr unrhyw niwed i fi. Fe lapiodd y dyn y neidr yma rownd fy nghanol i, y gynffon am fy nghoes, a finne mewn shorts, a'i gweddill hi rownd fy ngwddw i a dyma wenu ar y camera. Nid y fi ond y neidr, â'i thafod hi mas ac yn hisian yn fy nghlust i fel clacwydd yn gwarchod gwyddau bach. Profiad ofnadwy, ac mae'r cyfan ar ffilm.

Tra yn Nairobi fe aethon ni allan i weld Llyn Naguru, lle'r oedd fflamingos wrth y miloedd. Mynd i fyny drwy'r Rift Valley enwog sydd rhwng Nairobi a Mynydd Kenya. Gweld y brodorion tlawd yn eu cynefin a meddwl am Brydain yn rhoi cymaint o'i chynnyrch o'r neilltu ac wrth gefn tra bo'r bobol dduon hyn yn defnyddio pob modfedd o'u tir. Gweld ambell i ddarn bach o dir lle'r oedd dim ond pedwar polyn a chrwyn geifr fel to a muriau yn gwneud y tro fel cartref iddyn nhw a'u nythaid o blant. Gweld yr holl blant bach yn disgwyl y bỳs i fynd i'r ysgol, pob un wedi'i wisgo mewn dillad ysgol glas a choch tywyll ac yn edrych mor hardd. Roedd y bobol hyn yn gwneud ymdrech er gwaetha'u tlodi.

Fe welson ni'r lorïau oedd yn cludo cynnyrch y ffermydd bach hyn i'r ffatrïoedd a'r marchnadoedd. Lorïau ddwedes i? Petai'r awdurdodau yma yn cychwyn rhoi profion diogelwch ar lorïau Kenya, wn i ddim pryd y gwnaen nhw orffen. Rown nhw'n yfflon. Y teiers yn arbennig yn foel. Rwy wedi gweld mwy o 'tread' ar gondom. Fe allech ddarllen papur newydd drwyddyn nhw.

Ond yr hyn oedd yn taro rhywun oedd y ffordd fydde'r bobol yn gweithio. Rown nhw i gyd yn ddiwyd. Dim eu bod nhw'n gweithio'n galed. Ar gyfer pob job fe fydde 'na ddigon o bobol i'w gwneud hi. Hyd yn oed pe bydde nhw'n mynd â'r ci am dro, fe fyddwn i'n disgwyl gweld un bob ochr i'r ci, gan na fydde un yn gwneud y tro.

Fe wnaethon ni ymweld â dau barc cenedlaethol y wlad, Parc Cenedlaethol Kenya a Pharc Cenedlaethol Mynydd Kenya. Parciau anferthol ac anifeiliaid gwyllt wedi'u cadw yno, eraill wedi'u cludo i mewn, a'r cyfan o fewn terfynau. Dyna'i chi agoriad llygaid. Pob math o anifail brodorol. Fe fyddwn i a'r criw yn teithio mewn car â thop agored, fel y medren ni sefyll ac edrych allan mewn mannau agored diogel. Ond wrth yrru drwy goed a mannau cysgodol eraill fe fydde'n rhaid cau popeth, rhag ofn.

Roedd gen i gamera. Y tro cynta erioed i fi ddefnyddio un. Gan fy mod i'n mynd i le oedd mor ffotograffig fe brynais gamera newydd ac awgrymodd Ken y dylwn i gael 'zoom lens'. Wyddwn i ddim beth oedd hwnnw. Fe wyddwn i o'r gorau beth oedd 'loader' a 'link-box' ar dractor. Ond wyddwn i ddim beth oedd 'zoom lens'. Esboniodd Ken mai rhywbeth ar gyfer tynnu lluniau oedd e, dyfais ffotograffig ar gyfer gwneud rhywbeth yn y pellter ymddangos yn agos. Gan eu bod nhw'n bethe drud, fe ges i fenthyg un Ken, oedd yn digwydd bod yn ffitio fy nghamera i, ond doeddwn i ddim yn gyfarwydd â defnyddio'r fath beth. Dyma weld dau rhinosoros lawr yn y dŵr yn yfed. I fi, roedd hyn yn rhyfeddod, dim ond mewn llyfr neu ar deledu own i wedi gweld y fath bethe. Synnu wrth sylweddoli eu bod nhw'n gwbwl foel. Dim blewyn, dim ond crwyn fel lledr. Dyna ble'r oedden nhw yn y dŵr yn yfed, a'u croen nhw'n graciau, yn union fel wal parlwr Anti Lisi ers talwm. Dyma fentro rhoi cynnig ar y 'zoom lens' gan feddwl mod i'n deall sut oedd y ddyfais yn gweithio. Dyna lle'r own i nawr yn tynnu llun ar ôl llun, gan addasu'r lens ar gyfer cael y creaduriaid i ymddangos yn agosach ac yn agosach. Ond, pan godais fy mhen, roedd y diawled yn dod amdana i'n wirioneddol. Nid eu swmio nhw'n nes own i, nhw oedd yn dod yn nes ata i. Fe fu'n rhaid i fi ei heglu hi am fy mywyd 'nôl am y car.

Gweld llewod wedyn a babwns. Dyna i chi ddiawled digywilydd yw'r babwns. Fel y rhybuddiodd Ken fi, 'Rwyt ti'n dallt mai o fwnci y daeth dyn,' medde fe. 'Wel, mae llawer o'r dyn ar ôl yn y rhain. Fe aiff y rhain i dy boced di.' Unwaith, wrth stopio i ateb galwad natur, fe wnaethon ni ganfod, ar ôl dod 'nôl, fod hanner dwsin ohonyn nhw'n eistedd ar ben y car, wrth eu boddau. Roedd Ken, er mwyn diawlineb, wedi prynu dwy 'pith helmet' i ni a rheiny wedi eu gadael ar fonet y car. Ond roedd y babwns wedi'u gweld nhw ac roedd un babwn yn eistedd ar ben un het. Ar ôl gyrru'r creaduriaid bant a mynd i nôl yr helmed, ddim jyst wedi eistedd arni oedd y mochyn diawl.

Fe dreulion ni wythnos yn Nairobi a'r cyffiniau gan lwyr fwynhau. Fe fydden ni'n bwyta bob nos yn y Muthega Club, rhyw glwb pwysig lle roedd Ken yn aelod, heb fod yn bell o'i gartre. Roedd lle yno i'r 'chefs' fwrw'u prentisiaeth, rhywbeth tebyg i flwyddyn ymchwil mewn coleg. Mae'n debyg fod 'chefs' gorau'r byd yn cael eu hyfforddi yno. Roedd y bwyd yn arbennig iawn.

Mewn lle arall, y Carnavo, roedd modd dewis dim ond cig i swper. Talu yn y drws a gafael mewn sgiwer hir. Wedyn cael plât metel a chyllell a fforc a helpu'ch hunan. Dim ond cig. Cig pob math o greaduriaid. Wyddwn i ddim cig pa greadur oedd o mlaen i. Rown i'n nabod cig ffowlyn, rown i'n nabod cig eidion ac yn nabod cig oen. Ond ychydig iawn o gig oen gâi chi yno, digon o borc a phopeth arall. Os oeddech chi'n leicio cig, hwn oedd y lle delfrydol.

Roedd hi'n anodd dod yn gyfarwydd â'r gwahanol arferion. Yn y gwesty fe wnes i adael dillad brwnt ar y gwely ar gyfer eu golchi. Cyn hir roedd arno ddillad brwnt tridiau o chwysu. Gadewais nodyn bach yn gofyn i rywun olchi'r dillad. Y diwrnod wedyn roedd dwy ferch Chinese yn eistedd yno'n fy nisgwyl i, a golwg go gas arnyn nhw. Fe esboniodd y ddwy eu bod yn gosod dillad glân ar y gwely bob dydd a dywedais inna mai cyfeirio at fy nillad personol i oedd y nodyn. Agorodd un ferch y wardrob a thynnu bag allan. Y cyfan oedd angen ei wneud oedd gadael y dillad brwnt yn hwnnw a llenwi ffurflen yn nodi'r gwahanol eitemau. Diawl, fe ges i bregeth gan y ddwy.

Ar ôl mwynhau moethau'r gwesty fe ddaeth hi'n amser i ni fynd allan i'r Maasai Mara a'r Serengeti, lle roedden ni'n disgwyl y bydde pethe'n llawer mwy cymhleth. Ond wir, camgymeriad oedd hynny. Fe hedfanon ni mas mewn awyren i bedwar. Taith o dros 300 milltir a dyna'r profiad mwya uffernol ges i erioed. Dim ond i rywun godi ar ei draed i fystyn potel bop, fe fydde'r awyren yn siglo. Ac am y dyn sain, hwnnw losgodd yn yr haul, fedre fe ddim mynd ar unrhyw awyren heb fynd yn sâl, yn uffernol o sâl. Dyna lle'r oedd e' a'r dyn camera a'r P.A. a finne yn mynd allan ar yr awyren gynta. Peilot bach du yn gyrru, a'r hen awyren fach, nad oedd yn dringo'n uchel iawn, yn hedfan dros Warchodfa Genedlaethol y Maasai Mara, sy'n fath o estyniad gogleddol i'r Serengeti ac sy' dros ddwy fil milltir sgwâr. Roedden ni wedi bod yn edrych am hydoedd ar y cynteddau o dir a gweld y coed, gweld mannau oedd wedi llosgi, gweld yr anifeiliaid gwyllt. Dim un adeilad i'w weld yn unman. Yma ac acw roedd modd gweld ambell bluen o fwg yn codi o gartrefi pobol y Maasai a'r Sambulus. Y Maasai sydd fwyaf niferus yno o bell ffordd. O'r diwedd dyma'r awyren yn paratoi i lanio ac, wrth iddi gyffwrdd â'r ddaear, y dyn sain yn llenwi'r bag. Fe'i taflodd allan i'r llewod.

Ac *roedd* yno lewod yn ein disgwyl ni. Fedrwn i ddim credu wrth eu gweld nhw yn amgylchynu'r awyren ac yn llyfu'r olwynion. Rhaid nawr oedd disgwyl am wagen i ddod i'n nôl ni. Y cerbyd, wrth ddynesu, yn canu'r corn a'r gyrrwr yn gweiddi er mwyn codi braw ar y llewod a'u gyrru nhw bant. Anghofia i fyth mo'r teimlad pan osodais i 'nhraed ar ddaear y Serengeti. Popeth mor sych ac mor boeth. Yn union fel petawn i'n sefyll ar ben y Rayburn. I mewn â ni i'r wagen, un ddigon cyffredin, ac aeth y gyrrwr â ni i ryw ganolfan lle'r oedd yna westy hyfryd a bwyd arbennig iawn.

Roedden ni'n cysgu mewn pebyll, a phob un yn edrych yn union yr un fath. Doedd dim rhifau arnyn nhw, a'r unig ffordd fedrwn i adnabod fy mhabell fy hunan oedd fod yna byfflo wedi caca o flaen y drws. Pwyntiais at y caca a rhybuddio'r dyn oedd yn edrych ar ein hôl ni, '*Do not move. Leave it for me. In Wales we call it Number Two. But here it is the number of my tent.*' Yno y buodd y caca am dair wythnos nes i fi fynd oddi yno, wedi sychu fel llwyth o grîm cracyrs. Ond fe fuodd e'n gymorth mawr gan fod y pebyll i gyd o'r un lliw ac yn sefyll mewn un rhes. Erbyn heddiw mae'n debyg fod yna derfynau uchel wedi'u gosod o gwmpas y lle gan i rywun ga'l ei fwyta gan lew yno.

Mae hwn yn ymweliad na wnâ i byth ei anghofio. Fe fedrwn i glywed y llewod a'r sebras o'r gwely'r nos. Roedd Geraint a finne yn siario pabell ac fe wnes i'n siŵr ei fod e'n cysgu rhyngo fi a'r tu fas, gan fy mod i'n ofni'r nos. Ar y noson gynta rown i wedi cerdded i fyny at y gwesty, gan ofalu cerdded yn y golau, yn ôl y rhybuddion. Roedd yna ddigon o bobol o gwmpas fel gwarchodwyr ond rhyw bobol bach digon dichwel oedden nhw. Petai llew yn dod, fydde'r gwarchodwyr yn ddim byd ond cymundeb iddo fe.

Cau â sip oedd drws y babell, ac roedd angen sipo fyny a sipo'n groes i'r gwaelod. A dweud y gwir, roedd e'n beth digon lletchwith. Rown i'n agor a chau cymaint o sips roedd yna beryg yr awn i allan â nghopis ar agor wrth i fi anghofio cau'r sip hwnnw. Yn wir, fe ddigwyddodd hynny fwy nag unwaith. Fe fydde'r dyn camera yn gorfod dweud wrtha i'n aml, 'Dai, ti'n hedfan yn isel', a finne'n sylweddoli nad own i wedi cau fy malog. Un tro fe wnes i anghofio cau'r sip croes ar ddrws y babell. Dyna lle'r own i yn slwmbran cysgu pan deimles i'r peth cynnes, blewog yma'n gorwedd ar fy wyneb i. Y nefoedd, fe ges i ofn. Yno rown i'n gorwedd, yn ofni symud i gynnau'r golau rhag i'r peth yma wylltio à 'nghnoi i. Yn ara dyma gael gafael ar y cortyn plwc oedd yn cynnau'r golau a thynnu ac yno, yn gorwedd ar fy wyneb i, roedd cath gyffredin. Roedd hi wedi'n dilyn ni o'r gwesty ac wedi ca'l twll yng ngwaelod y babell lle dylwn i fod wedi cau'r sip. Pam yn y byd na wnaeth hi orwedd ar wyneb Geraint yn hytrach nag ar fy wyneb i, Duw a ŵyr. Wedi'r cyfan, mae pawb drwy'r wlad yn gwybod am fy ofn i o gathod. Peth od na fydde'r cathod eu hunain yn sylweddoli hynny. Ond arna i y gorweddodd hi, nid ar Geraint.

Roedd ganddon ni gawod ar gyfer ymolchi, tun 500 galwyn y tu allan, hen danc disel yn dal dŵr. Ar gyfer y gawod fe fydde llond hwnnw o ddŵr berwedig. Meddyliwch am y drafferth oedd y bobol yma'n mynd iddo wrth gynnau tanau o dan y tanc i ferwi'r dŵr ar ein cyfer ni, ac yn gorfod eu cadw i fynd drwy'r dydd. Fe fyddwn i wedyn yn sefyll ar ben bocs yn y gawod a'i droi ymlaen. Rwy wedi gweld donci'n piso'n gyflymach ond roedd e'n ddŵr, a roedd e'n gynnes, a roedd modd ymolchi'n lân bob bore a nos. Roedd ei angen e' hefyd gan y bydden ni'n chwysu fel cneifwyr a'n cyrff yn slic o olew haul.

Fe fuon ni allan yn y Maasai Mara, ym Mynyddoedd Aberdâr, ac aros yng Ngwesty'r Arch enwog, neu'r 'Ark'. Fe ddigwyddodd rhywbeth rhyfedd yno. Roedd y stafelloedd yn fach ac rown i'n siario â'r dyn camera, Neil Hughes. Wir i chi, roedd y stafell mor bitw fel bod yn rhaid i ni gymryd ein tro i fatryd. Fe fydde un yn diosg ei ddillad yn y pasej a cherdded i mewn a'r llall wedyn yn gorfod gwneud yr un peth. Doedd dim digon o le rhwng y ddau wely i'r ddau ohonon ni newid yr un pryd.

Roedd y lle'n orlawn o ymwelwyr, Americanwyr ym mhob man. Roedd yna lolfa enfawr lle medrech chi weld yr anifeiliaid yn dod allan i'r ardd anferth oedd yno, gardd gyda llyn yn ei chanol. Gadewid y golau ymlaen dros yr ardd drwy'r nos, pryd y bydde'r eliffantod a'r rhinos yn dod i'r llyn i gael dŵr. Wyddwn i ddim fod yna larwm yn y gwesty a fydde'n canu pan ddigwyddai hyn. Y larwm fydde'n cyhoeddi i'r ymwelwyr fod yr anifeiliaid wedi cyrraedd fel y medre'r gwesteion ddihuno a mynd draw i'w gweld nhw'n ymdrochi yn y dŵr. Peth anarferol fydde gweld eliffantod a rhinos yno gyda'i gilydd ond, ar y noson arbennig yma, roedd yr eliffantod wedi cyrraedd a'r rhinos ar yr ochr arall. Dyma'r larwm yn canu. Finne nawr yn ymwybodol mai adeilad pren oedd gwesty'r Arch, ac wedi bod yn trafod dros ginio y peryg posib petai'r lle yn mynd ar dân. Pren, a hwnnw'n farnish i gyd oedd y lle. Fe âi lan fel matsien. Ac ar y noson gynta hon dyma'r larwm yn canu! Neidiais o'r gwely a lawr â fi i'r lolfa yn fy nhrôns. Dyna lle'r own i, yn borcyn ar wahân i'r trôns, a llond y lle o bobol yn dal camerâu yn edrych arna i. Roedd ganddyn nhw fwy o ddiddordeb ynddo i nag yn yr eliffantod a'r rhinos. '*Waw!*,' medde rhyw Americanes, '*Have you come without your camera?*' Diawl, own i wedi dod heb fy nillad hefyd. Camera oedd y peth ola ar fy meddwl i.

Fe fuon ni'n dilyn trac eliffant am ddiwrnod cyfan. Dyna lle'r oedden ni fel rhyw ffilm Western lle'r oedd y cowbois yn tracio'r Indians ond mai tracio eliffant oedden ni. Roedd y gyrrwr brodorol yn medru canfod olion y creaduriaid, gosod ei fysedd yn y tyllau a medru teimlo gwahanol wresoedd oedd yn dweud wrtho faint o amser oedd wedi mynd heibio ers i'r eliffant basio. Roedd tail yr eliffant yn dweud llawer hefyd ac, fel ffermwr, fe fedrwn i ddweud pa mor ffres oedd hwnnw. O'r diwedd fe wnaethon ni ganfod yr eliffant, clobyn mawr, y mwya welais i erioed. Ar y dechre chymrodd e' ddim rhyw lawer o sylw ond pan welodd ni a'r faniau a'r camera doedd yr hen eliffant ddim yn hapus iawn. Dechreuodd geibio fel tarw, ei draed blaen yn chwalu'r pridd ond ninnau'n dal i ffilmio a ffoli wrth weld yr hen greadur. Yna fe glymodd ei drwnc am goeden, oedd tua trwch polyn letric, er mwyn dangos i ni faint o foi oedd e. Un plwc ac fe ddaeth y goeden allan o'r gwraidd. Yno roedd e'n siglo'r goeden yn ei drwnc. Fe gawson ni'r neges. Reit was, medden ni, fe gei di lonydd, a bant â ni.

Sefyll wedyn ar gyfer sgwrs o flaen y camera a chlywed uffern o ergyd. Roedden i wedi sefyll ar ryw ffordd lle'r oedd clawdd bob ochr. Wrth sbïo 'nôl, be welson ni ond 'wart-hog', wedi dod allan o'i ffau yn teithio ar tua 50 milltir yr awr, ac wedi hitio'n fan ni nes oedd tolc anferth ynddi. Chafodd yr ergyd ddim effaith o gwbwl ar y creadur.

Fyny'r ffordd roedd yna le agored, ardal debyg iawn i'r hyn welech chi wrth fynd fyny dros Soar y Mynydd, a dyma sefyll. O dan y ffordd roedd yna beipiau dŵr yn cario nant fach. Dyna lle'r oedden ni yng nghanol y Maasai Mara yn piso'n braf ar y peips yma nes cawsom fraw dychrynllyd. Y peth nesa weles i oedd tua dwsin o hienas yn gwibio allan o'r peips oddi tanon ni. Dianc wnaethon nhw, ond fe wnaethon ni ddeall y medren nhw fod y pethe mwya mileinig yn y Maasai Mara.

Fe welson ni ddwsinau o byfflos a 'wildebeest'; byfflos yn arbennig a llawer ohonyn nhw heb gynffonnau na cheilliau. Rown nhw wedi bod mewn ras â'r hienas, a'r rheiny wedi helpu eu hunain, fel petai nhw mewn 'carvery'. Golygfa gyffredin oedd gweld bywflo heb bwrs neu heb gynffon – neu heb y ddau.

Fe aethon ni lawr wedyn i gynefin y llewod. Roedd y bois oedd yn ein gyrru ni yn gwybod yn iawn beth oedd beth. Roedd ganddyn nhw'r profiad o dywys miloedd o ymwelwyr ar hyd y Maasai Mara ac fe wydden nhw ble oedd y mannau gorau i fynd â ni, y mannau delfrydol ar gyfer ffilmio ac ati. O edrych arnyn nhw, rhyw bethe digon tawel, cyfeillgar a braf oedd llewod. Hynod o gartrefol, yn gorwedd yn yr haul. Ond, un dydd, dyma'n tywysydd ni'n sylwi fod y llewod yn ymgynnull. 'This will be good for you,' medde fe. Fe wyddai'n iawn lle bydde'r llewod yn lladd. Doedd dim sôn am eu prae nhw bryd hynny, ond roedd siâp eu cyrff nhw fel petai'n troi tuag at un man. Er ei bod hi'n gwbwl agored yno, a ninnau'n dod allan o le coediog tuag at afon fawr, doedd dim sôn am y prae. Gyda hynny fe welson ni bedwar sebra. Y tu ôl iddyn nhw roedd pedwar neu bump llew, wedi gosod eu hunain yn union fel maeswyr ar gae criced, yn disgwyl eu cyfle. Roedd ein tywysydd ni wedi gyrru'r cerbyd i'r union fan lle'r oedd y ddrama i ddigwydd, tua deg llath ar hugain oddi wrthon ni. Roedd y dyn camera yn ffilmio allan o dop y cerbyd ond, yn ôl y gyrrwr, fe fydde hi'n ddigon saff i ni fynd allan nes fydde'r llewod wedi dal eu prae. Ar y pryd roedd eu meddwl nhw ar un peth, ac un peth yn unig – dal sebra. A fe ddalion nhw fe.

Mae 'na lawer o siarad am hela llwynog yma yng Nghymru, ond doedd hynny'n ddim byd o'i gymharu â'r ffordd oedd yr anifeiliaid gwyllt yma yn hela. Roedd y sebra'n globyn, fel cobyn Cymreig Adran 'D' o ran maint. Dyma'r hen lew 'ma am ei wddw fe a'i dynnu ar lawr. Y sebra ar ei gefn yn griddfan a'r llew ar ei ben. Cydiodd y llew ynddo, ychydig uwchlaw un o'i goesau blaen. Rown i'n teimlo'n iawn nes, yn sydyn, fe fyrstiodd ei fol e, a hwnnw'n llawn o fwyd ac o ddŵr, a dyma'r drewdod mwya dychrynllyd yn ein cyrraedd ni.

Roedd yr olygfa nesa yn un ryfeddol. Y llewod yn bwyta gynta, wedyn yr hienas yn disgwyl eu tro, y jacals yn y rhes nesa ac wedyn yr adar mawr ysglyfaethus, y fwlturiaid ac ati, yn hofran uwchben wrth ddisgwyl eu tro nhw.

Ar ôl iddyn nhw fwyta, fe drodd y llewod tuag aton ni ac fe aethon ni 'nôl i ddiogelwch y car. Yna dyma nhw'n mynd yn fodlon. Fe fuon ni wrthi'n ffilmio am tua ugain munud ac, yn ystod yr amser hwnnw, roedd popeth fuodd yn rhan o'r sebra druan wedi mynd. Petai'r CID wedi dod yno i chwilio am dystiolaeth, fydde dim ar ôl iddyn nhw. Dim ond llecyn o dir lle'r oedd popeth wedi'i wastoti. Dyna olygfa na wnâ i ei hanghofio hi byth.

Mynd wedyn i weld y Maasai a chael ymweld â'u gwersyll. Doedd hwn ddim yn rhywbeth i ymwelwyr, ond fe wnaeth Ken gais am i ni ga'l ffilmio yno a chynnig talu. Gan fod talu yn rhan o'r busnes, doedd dim gwrthwynebiad ond châi ni ddim talu mewn arian. Talu mewn geifr oedd y drefn i fod. Fe gostiai'r ffilmio bump gafr, felly fe brynon ni rai a'u cyflwyno nhw i'r Maasai ac i mewn â ni i'r gwersyll. Roedden ni wedi clymu coesau'r geifr fel clymu defaid cyn eu cneifio a'u cario nhw ar rac ar dop y cerbyd. Roedd hi'n ddiwrnod poeth, a diawch, dyna lle'r own i'n eistedd yn y car a'r ffenest ar agor pan ddisgynnodd diferion arna i. Diolch byth, medde fi, cawod o law, fe wnaiff hi fyd o les. Ond nid cawod o law oedd hi ond y geifr yn piso o dop y car a hwnnw'n ca'l ei chwythu i mewn drosta' i. Drewi! Diolch byth am y gawod y noson honno.

Ar ein cyfer ni, fe aeth y Maasai drwy'r holl broses o ddewis gwraig. Dyna lle'r oedd y dynion a'r merched wedi peintio'u hunain gyda'r stwff coch yma, rhyw fath o 'red oxide', siŵr o fod. Roedden nhw cystal â bod yn byrcs, y dynion a'r merched, dim ond rhywbeth tebyg i fÿdguard Austin Seven yn cuddio'r mannau pwysig. Ar y top roedden nhw'n gwbwl noeth. Dyna lle'r oedden nhw'n neidio i fyny ac i lawr gan wneud rhyw synau od. Y dynion oedd yn neidio ucha oedd yn cael dewis y merched.

Fe gawson ni fynd i mewn i'w cartrefi nhw hefyd ac ro'n nhw'n byw mewn llefydd diawledig. Doedd yna ddim byd ond darn bach o dir a chytiau croen gafr. Popeth mor sych gan na fydde yna fawr o law yn disgyn yno.

Pobol gwartheg yw'r Maasai. Fe gawson ni eu dilyn nhw gyda'u gwartheg. Y plant yn eu cerdded a'u gwarchod nhw, a llawer o'r plant hynny'n cael eu lladd gan lewod.

Fe welson ni un ddefod ryfedd iawn, defod oedd yn nodi cyrhaeddiad mab hyna'r pennaeth i safle dyn. Fe waedodd un ohonyn nhw fustach drwy wthio saeth i wythïen yn ei wddw, gan adael i'r gwaed lifo i lestr, yn union fel petai ffarier yn gwaedu bustach yng Nghymru. Wedyn dyma'r pennaeth yn dod, carthu ei wddw a phoeri ar ben y gwaed; piso ar ben y cyfan a chymysgu'r cawl ofnadwy yma â'r saeth a ddefnyddiwyd i waedu'r bustach, a'i roi e i'r mab hynaf i'w yfed. O'r funud honno ymlaen roedd e'n ddirprwy bennaeth.

Tra yn y Maasai Mara fe wnaethon ni bob math o bethe diddorol. Fe fuon ni'n molchyd yn Afon Washanerw, a Ken, tra'n gwneud hynny un bore, yn colli ei fodrwy briodas yn y dŵr. Roedd yn rhaid i ni groesi'r afon i ddod 'nôl i'r pentre ac rwy'n cofio canu, 'Hen afon Washanerw, rhaid i ni groesi hon,' aralleiriad o Hen Afon yr Iorddonen, wrth gwrs.

Mynd wedyn i fferm yn Thomson Falls, fferm i chwaer Simon Bennet Evans, Pumlumon, a merch y capten Bennet Evans. Roedd Shani'n briod â John Kenyon, un a fu'n gysylltiedig unwaith â ffilmio rhaglenni ffermio ar y BBC. Ro'n nhw'n ffermio miloedd o erwau gyda'u mab, Jackie. Tra roedd ei brawd hi'n ca'l trafferth ar Bumlumon gyda llwynogod yn lladd yr ŵyn, roedd Shani'n ca'l trafferth gyda llewod oedd yn bwyta'r lloi. Roedd hi wedi gosod gwifren drydan o gwmpas y lle ar ben y polion ffenso ac roedd y wifren yn rhedeg drwy filoedd ar filoedd o boteli Coke, gyda thyllau wedi'u drilio yn eu gwaelod. Rhyw fath o insiwleiddio, mae'n debyg. Fe arhoson ni yno am ddwy noson a chael parti allan ar y feranda. Canu caneuon Cymraeg a Shani'n crïo mewn hiraeth. Dwi wedi meddwl lawer gwaith y bydde'n gwneud teledu da yn Saesneg, ffilmio'r fferm ar Bumlumon a'r fferm arall yn y Rumaruti. Fe fydde'r gymhariaeth yn anhygoel.

Yn Thomson Falls roedd angen i ni gerdded am filltiroedd, dilyn gwely sych yr afon lawr i Rumaruti at afon fwy a champio allan mewn bagiau cysgu, dau ym mhob bag allan dan y sêr. Ar ein hochr ni o'r afon roedd y lan yn disgyn lawr yn sgwâr, tua ugain troedfedd, tra ar yr ochr draw roedd y lan yn raean gwastad. Hynny'n golygu fod crocodeils yn medru dod allan o'r afon ar yr ochr honno. Diolch byth mai'r ochr draw oedd hynny. Cyn mynd i gysgu fe fyddwn i'n cynnau lamp llaw i weld y crocodeils yn y dŵr, a gallwn eu clywed nhw'n iapan yn yr afon.

Un peth enwog am y Rumaruti oedd y saffari camelod. Hynny yw, marchogaeth camelod a dyna i chi brofiad. Os nad y'ch chi wedi bod ar gefn camel, mae'n anodd disgrifio'r peth. Pan mae e'n codi, y'ch chi'n mynd ar eich cefn, ac yna'n disgyn ar eich trwyn pan mae e'n mynd lawr. Y pen blaen sy'n mynd lawr gynta gyda chamel. Fe aethon ni bant ar y saffari a Ken ar y camel o 'mlaen i. Y tu blaen i'r ddau ohonon ni roedd ein tywysydd ni, un o'r brodorion. Dyna lle'r oedden ni, tri chamel yn dilyn ei gilydd fel trên bach yr Wyddfa. Y broblem oedd fod y dyn bach oedd yn arwain yn cymryd y troadau yn uffernol o dynn yn y goedwig. Felly, erbyn y bydde fe yn troi'r tro fe fyddwn i, ar y trydydd camel, yng nghanol y berth. Roedd yno goed drain, nid rhai fel yn ein gwlad ni ond coed a'u drain fel crafangau cath, a finne yn fy shorts. Roedd fy mhenliniau a'n ysgwyddau i yn yfflon.

Ar y daith fe fydden ni'n gweld anifeiliaid marw allan yn y gwyllt. Bydde'r bobol leol yn mynd ati i'w blingo nhw ar unwaith er mwyn ca'l y crwyn. Fe fydde'r cyrff wedyn yn rhostio yng ngwres yr haul a medrech glywed sŵn ffrwtian eu braster nhw'n toddi yn y gwres. Doedd dim modd cerdded ar gerrig glan yr afon, rown nhw'n rhy boeth, yn union fel petai chi'n cerdded ar lawr ffwrn.

Yn Rumaruti rwy'n cofio cerdded yn ôl un bore, taith o bump neu chwe milltir, a finne bron â thagu. Dim problem i'r bobol leol. Roedd rheiny'n ffit ac yn denau, mor denau â fferet yn diodde o'r goitr. Diolch byth, yn y fen oedd yno i'n cyfarfod ni roedd melon dŵr. Dyna'r peth neisa i fi ei flasu erioed.

Antur arall fu taith balŵn dros y Serengeti. Dechre am bump o'r gloch y bore a gweld y llewod, yr eliffantod a'r jiraffs yn deffro. Wedyn gweld pâr o jiraffs yn teimlo'n gyfeillgar tuag at ei gilydd. Fe wnâ i adael gweddill y disgrifiad i'ch dychymyg chi. Hedfan yn dawel dros yr holl anifeiliaid a meddwl, petai'r nwy yn dod i ben yna fe fyddwn i a'r balŵn lawr yng nghanol y llewod. Dyna lle oedden nhw'n edrych fyny aton ni gan noethi eu dannedd a rhuo.

Roedd tri neu bedwar balŵn yn hedfan gyda'i gilydd tra roedd y ciperiaid yn teithio yn y Land Rovers. Un Land Rover yn cario'r bwyd ar gyfer brecwast shampên allan yng nghanol y Serengeti. Roedd pump yn ein balŵn ni, a'r dyn sain gafodd hi waetha unwaith eto. Fe laniodd y balŵn ar ei ochr a'r dyn sain, druan, yn disgyn ar ei ben i ganol cachfa eliffant, ac ma' eliffant yn caca llond whilber ar y tro. Pan gododd y creadur roedd siâp ei wyneb ynddo fe fel model clai.

A'r brecwast! Shampên a bacwn a sosej ag ŵy. Llond bol go iawn o frecwast. Fe gawson ni barti hefyd ar y noson ola mewn rhyw gwt bach tanddaearol, a'r gwarchodwr yn ein cadw ni rhag llewod. Yr unig beth oedd ganddo i'w amddiffyn ei hunan, a'n hamddiffyn ni, oedd rhyw ddau bric bach fel priciau tân.

Roedd ganddon ni gyfleusterau golchi hefyd. Fe gaem ein dillad yn ôl yn lân ond byddai'r sanau ar goll yn aml iawn, yn enwedig os own nhw'n sanau gwyn. Crysau T wedyn. Fydde rheiny byth yn dod 'nôl. Fe fydde nhw i'w gweld wedyn ar gefn aelodau'r tîm ffwtbol lleol. Ar ben hynny fe fydde'r babŵns yn dwyn dillad oddi ar y lein. Daeth un i'r feranda un bore, lle roedden ni'n ca'l brecwast, â nicyrs du rhywun am ei ben. Dyna lle'r oedd e'n gwneud rhyw sŵn chwerthin a phawb yn lladd eu hunain yn chwerthin ac yn tynnu lluniau, a'r hen fabŵn fel petai wrth ei fodd. Fe oedd y seren. Fe fydde'n un da mewn noson lawen!

Rwy'n cofio mynd am dro yn y Serengeti ar ôl brecwast. Cerdded ymhellach nag oedden ni i fod, er i ni ga'l rhybudd rhag mynd ar ein pen ein hunain. Wedi cyrraedd y coed, be' ddaeth i'n cyfarfod ond tua dwsin o eliffantod. Dyma nhw'n rhoi un rhuad a rhedeg tuag aton ni. Dianc fu raid. Roedd Ken yn difaru, doedd e'n fawr o redwr. Yr own i, yr adeg honno. Do, fe fuon ni'n lwcus cyrraedd 'nôl yn ddiogel.

Ar ôl tua mis ar y Serengeti fe hedfanon ni 'nôl i Nairobi ac yn ôl i'r Intercontinental Hotel. Tu ôl i'r ddesg roedd yr un boi bach ag oedd yno ar y diwrnod cynta i ni gyrraedd. Roedd ciw o tua deg ar hugain o bobol yn disgwyl eu tro ond dyma fe'n gweiddi arna i, 'How is Mr Jones?' A dyma fe'n estyn agoriad i fi. 'Last

time you were in room 720. This time you are in room 326.'
Oedd, roedd e'n cofio'n iawn.

Fe wna innau gofio hefyd am yr ymweliad â Kenya, tra bydda'i byw.

CARDI ODDI CARTRE

Yn ogystal â ffilmio cyfresi rheolaidd o *Cefn Gwlad*, ynghyd â chyfresi byr fel *Jambo Bwana*, fe ddechreuon ni ffilmio ambell raglen awr i'w dangos ar achlysuron arbennig, fel y Nadolig, y Calan a'r Pasg.

Un o'r rheiny oedd y rhaglen ar Hogie Bryniog, twr o frodyr, un chwaer a'u mam oedrannus. Fe gawsant y cyfenw answyddogol Bryniog oherwydd mai dyna oedd enw'r fferm oedd yn gartref iddyn nhw.

Mae'r teulu wedi bod yn gysylltiedig â chanu erioed: Dei Bryniog yn unawdydd ac yn aelod o gantorion Gwalia; Tom ac Arthur Bryniog yn aelodau o gôr Cantorion Colin Jones a Jac Bryniog wedyn yng Nghôr Bro Aled. Pobol eu bro oedd Hogie Bryniog, a dyna'r math o bobol sy'n boblogaidd pan fyddwn ni'n gwneud rhaglenni yng Nghmru. Pobol wreiddiol yw'r bobol orau, pobol sy'n ymateb yn naturiol i'r hyn sy'n digwydd.

Yn fwy aml na pheidio does gan y bobol hyn ddim syniad am y dechneg o ffilmio, a da o beth yw hynny, mae'n cyfrannu at y naturioldeb. Un peth sy'n drysu pawb yw'r peth bach 'na sy'n cael ei osod ar eu brest nhw, y meic. Weithiau, ar ôl i'r meic gael ei osod, fe fydd y gwestai yn sibrwd rhyw gyfrinach fach, 'Dei Jones, mae 'na foi yn byw lawr y lôn…', yna tawelu a phwyntio at y meic, 'Dydi hwn ddim ymlaen rŵan, ydi o?'

Weithiau wedyn mae awyren yn hedfan yn isel ac yn difetha rhan o sgwrs. Finne'n atal y siarad a dweud, 'Arhoswch ychydig i ni gael colli sŵn yr awyren 'na.'

Awyrennau yw'r bwganod mawr wrth ffilmio, boed hynny yn y gogledd, y canolbarth neu dde Cymru. Os cawn ni ddiwrnod braf i ffilmio, mae pobol yr awyrennau'n ca'l diwrnod braf hefyd ac allan â nhw. Rwy'n tyngu weithiau eu bod yn gwybod pryd a ble mae 'na gamera, ac yn tarfu arnon ni'n fwriadol.

Roedden ni'n ffilmio unwaith yn ardal Llidiardau, ger y Bala, pan fu'n rhaid i fi atal sgwrs. 'Daliwch ymlaen am ychydig,' medde fi, 'mae'r blydi awyren yma'n niwsens.' Dyma hi'n araf dawelu a finne'n barod i ailgydio yn y sgwrs. Sŵn awyren eto a'r siaradwr, gŵr dros ei bedwar ugain, yn troi at y criw ac yn cyhoeddi, 'Mae'r blydi plên yma'n niwsans! Bois, mae'n rhaid i ni stopio'. Ac mae hyn yn digwydd. Mae'r gwestai'n aml yn cymryd drosodd oddi wrthon ni ac yn gwneud gwaith y cyfarwyddwr drosto fe. Os oes rhywbeth yn ein poeni pan fyddwn ni'n recordio, yn aml iawn y gwestai fydd y cynta i weld hynny.

Fe gyfeiriais eisoes at yr angen i ail-ffilmio rhywbeth weithiau, er mwyn ei ga'l e'n iawn. Mae hynny'n golygu yn aml y bydd yn rhaid i fi ail-ofyn cwestiwn a'r ateb ga' i, bron yn ddieithriad yw, 'Dew, ond dydw'i newydd ddweud hynna wrthoch chi eisoes. Pam ydach chi am i mi ei ddweud o eto?' Esbonio wedyn fod yn rhaid i ni ail-recordio'r ateb oherwydd problem fach. Yna daw'r sylw, 'Dew, yn tydi'r ffilmio 'ma'n lladdfa.' Fy ateb i yw cyfeirio at James Bond yn y gwely gyda'r holl fenywod yna ac yn gorfod gwneud popeth ddwywaith neu dair. 'Peth od ei fod e'n fyw o hyd.' Mae hynny'n gwneud iddyn nhw chwerthin ac ymlacio.

Cwestiwn arall sy'n cael ei ofyn yn aml adeg sgwrs yw, 'Pwy sy'n clywed hyn ar wahân i chi a fi?' Fe fydda i'n tynnu coes, 'O, mae hi'n bwysig fod yna lawer yn eich clywed chi. Ar hyn o bryd mae 'na tua dwsin yng Nghaerdydd yn eistedd wrth y ddesg yn gwrando arnoch chi ac yn meddwl eich bod chi'n ddifyr tu hwnt.'

Syndod mawr wedyn. 'Dew, pobol yng Nghaerdydd yn gwrando arna i, S4C, yr 'heads' felly? Gwell i mi beidio â rhegi, felly.'

Cwestiwn mawr arall sy'n codi yw, 'Ar bwy dw'i fod i edrych? Arnoch chi neu ar y camera?' Finne'n ateb, 'Arna' i. Anghofiwch fod y camera yna. Peidiwch â gwneud sylw o'r bobol 'na sydd y tu ôl iddo fe chwaith'. Synnu eto, 'Dew, 'da chi ddim yn dweud!' Ie, hen ŷd y wlad yn eu diniweidrwydd. Rheiny sy'n gwneud y teledu gorau.

Wrth gwrs, mae yna gannoedd o Gymry Cymraeg sy' wedi ymfudo neu sydd â chysylltiadau dramor. Dyna pam aethon ni i Kenya. Dyna pam y gwnaethon ni ddechrau rhoi sylw i fwy o'r rheiny. Fe benderfynwyd ehangu gorwelion yn llythrennol drwy fynd dramor am storïau.

Rown i wedi bod dramor yn gweithio cyn hyn. O ganlyniad i'r llwyddiant cerddorol, yn arbennig yn Llangollen ac yn y Brifwyl yn 1970, fe ges i wahoddiadau i berfformio mewn gwledydd eraill. Hynny, wrth gwrs, yn rhoi cyfle i fi ddod yn gyfarwydd â theithiau tramor cyn cychwyn ar *Cefn Gwlad*. Fe deithiais i gyda Glynne Jones a Chôr Pendyrus fel unawdydd am dair wythnos, yn America a Chanada. Rown i'n adnabod Glynne yn dda iawn. Gydag e' y perfformies fy *Meseia* cynta. O sôn am dro cynta, hwn hefyd oedd y tro cynta erioed i fi deithio mewn awyren. Profiad dychrynllyd. Fe wnaethon ni greu hanes gan mai ni oedd y 'charter flight' cynta i fynd allan o faes awyr Y Rhws, Caerdydd.

Roedd llawer o lefydd gwag ar yr awyren a ninnau i fod i adael am ddeg o'r gloch y bore. Ond, gan fod y tywydd yn wael, aethon ni ddim tan ddeg o'r gloch y nos. Roedd digon o gwrw ac ati ar yr awyren ar gyfer y daith draw i Galiffornia ac yn ôl, sef taith bymtheng awr un ffordd. Roedden ni'n disgyn yng Ngwlad yr Iâ ar y ffordd yno i gael toriad o awr ac, erbyn hynny, doedd dim diferyn o ddiod ar ôl ar yr awyren. Dim ond tair awr barodd e!

Roedd 'na un hen foi oedd yn hedfan am y tro cyntaf yn ei fywyd. Erioed wedi bod oddi cartref, i fod yn fanwl, ond roedd ei deulu wedi'i berswadio i fynd gyda'r côr. Roedd yn ei 70au, a diawch fe ges i hwyl gyda hwn. Roedd e'n gwrthod yn lân a mynd i'r tŷ bach ar yr awyren am nad oedd llenni ar y ffenest. Pwy yn y byd oedd yn mynd i'w weld e' yn yr awyr, Duw a ŵyr.

Un noson, a ninnau'n cael swper mewn lle bonheddig iawn, roedd e'n eistedd wrth fy ymyl i. Doedd ganddo fe'r un dant yn ei ben ond, er hynny, fe archebodd stecen. Dyma'r weinyddes yn dod draw a gofyn iddo fe sut yr hoffai gael ei stecen?

'Ar blât, plis,' medde fe.

Roedd hon yn daith fythgofiadwy a Glynne Jones ar gefn ei geffyl. Cymeriad mawr oedd Glynne. Fe gerddodd allan o Eisteddfod Boduan unwaith a mynd adre am fod 'modulator' ar y llwyfan. Unwaith, yn Eisteddfod Ystrad Fflur ym Mhontrhydfendigaid, fe aeth Glynne ati i gymharu'r cantorion i wahanol brydau o fwyd. Ar y brig roedd canwr oedd yn cyfateb i 'caviar'. Lawr wedyn at ganwr oedd yn cyfateb i ginio twrci. Yna dod at gymeriad lleol, Iorwerth Williams neu Iori Bach,

'A nawr,' medde Glynne, 'dyma ni'n dod at y tatws a'r grefi.'

Fe aeth taith Pendyrus a ni drwy'r Rockies. Yn rhan o'r criw roedd Harvard Gregory, oedd yn cyflwyno ac roedd Aeronwy, merch Dylan Thomas, gyda ni i ddarllen gwaith ei thad. Yn ddiweddarach fe briododd hi ag aelod o'r côr, Trefor Ellis.

Fe fuon ni yn Edmonton, Efrog Newydd ac yn Niagara Falls, gan weld rhyfeddodau'r ddwy wlad anferth. Pan oedden ni yn Toronto dyma rhyw hen gymeriad yn dod ata i. Cnoc ar ddrws y stafell wely ac aelod o staff y gwesty yn gofyn a wnawn i dderbyn ymwelydd. Fe wisgais a'i adael i mewn. John Williams o ochrau Caernarfon oedd e, yn ffermio 300 o wartheg godro yn Nhalaith Efrog Newydd gyda'i chwaer. Roedd e' wedi darllen yn y papur ein bod ni ar daith ac roedd cymaint o hiraeth arno fel iddo benderfynu dod i'n gweld ni. Fe fuodd gyda fi drwy'r dydd gan ddangos caredigrwydd mawr. Petawn i wedi gofyn iddo fe am hanner Toronto, fe fydde fe wedi'i roi i fi.

Roedd e'n awyddus iawn i glywed am ardal Caernarfon a, diolch i'r eisteddfodau a'r cyngherddau ow'n i wedi bod ynddyn nhw, rown i'n medru sôn wrtho fe am Rhostryfan, Nebo, Nant Peris a Llanrug. Roedd dagrau yn powlio o'i lygaid a dyma fe'n gofyn, 'Deudwch nhw eto.' Roedd am i fi adrodd enwau'r hen ardaloedd dro ar ôl tro i'w atgoffa fe o'r hyn oedd e' wedi'i adael ar ôl.

Ar y noson gyntaf yn America roedden ni'n canu yn San Ffransisco gan aros yno am bedwar diwrnod. Roedd Stuart Burrows a Syr Geraint Evans yn digwydd bod yno ar y pryd, yn canu mewn opera, ac fe aethon nhw â ni allan i westy moethus a gofalu amdanom ni am y noson gyntaf.

Y noson honno daeth Stuart Burrows ata' i a gofyn i fi ystyried newid fy rhaglen a chyflwyno ambell hen gân Gymraeg. 'Os yw'r Americanwyr am gael opera, fe awn nhw i'r opera,' medde fe. 'Os ydi nhw eisie 'Lieder' fe awn nhw i 'recital'. Ond os ydyn nhw wedi dod i wrando ar unawdwr o Gymru mae nhw eisie caneuon o Gymru.'

Ar ei gyngor ef fe newidiais y rhaglen ac rwy'n dragwyddol ddiolchgar iddo am ei eiriau doeth. Fe ganais i 'Arafa Don', 'Y Ferch o Blwy Penderyn' a phan ganais i 'Bugeilio'r Gwenith Gwyn', fe gododd honno'r to.

Y teithio oedd yn fwrn. O dalaith i dalaith, hedfan a theithio ar y trên. Yn Edmonton, cael y gwesty mwya moethus mewn bod. Cyrraedd tua dau o'r gloch y bore a dim ond dwy awr o gwsg o'n blaen. Cael gwely mor esmwyth rown i'n diflannu o'r golwg ynddo fe.

Fe fuon ni yn Wyoming hefyd. Ar ddrws y stafelloedd gwely roedd arwyddion yn ein rhybuddio rhag mynd allan ar ein pen ein hunain ond yn hytrach mynd mewn grwpiau. Roedd Ifor Lloyd a finne'n rhannu stafell a roedden ni, yn llythrennol, yn clywed ergydion yn cael eu tanio ar y stryd. Fe aethon ni allan i ambell far cowbois lle'r oedd y barman yn sleidio'ch peint lawr ar hyd y bar fel own i wedi'i weld yn ffilmiau John Wayne.

Yn Chicago wedyn, yr un rhybudd – peidio â mynd allan ond mewn grwpiau. Allan gyda'n gilydd yr aethon ni, tua 120 ohonom ni'n cerdded lawr y stryd yn un criw mawr hwyliog. Dyma dri car heddlu yn sgrialu i stop gyferbyn â ni a gofyn i ni lle'r oedden ni'n mynd. Ceisiodd Glynne esbonio iddyn nhw mai côr oedden ni a'n bod ni'n mynd am ddiod. Fe wnaethon nhw'n dilyn ni i'r bar a sefyll wrth y drysau i'n wynebu ni yn amheus ac yn wyliadwrus. Galwodd Glynne ni at ein gilydd a rhoi'r gorchymyn, 'Canwch "Myfanwy", un, dau, tri…' O fewn eiliadau roedd y plismyn wedi diosg eu capiau a roedd dagrau yn eu llygaid wrth wrando ar y canu. Talodd perchennog y bar am rownd i bawb ohonon ni – tipyn o gost o ystyried nifer y criw!

Heidiodd y Cymry alltud i'r gwahanol gyngherddau. Yn San Ffransisco roedd 12,500 yn y gynulleidfa. Rown i, bron yn llythrennol, yn cachu brics. Fe sylweddolodd y rheolwr llwyfan fy mod i'n nerfus a cheisiodd fy nghysuro. Esboniais mai dim ond ffermwr bach cyffredin o Gymru own i a bod rhywbeth fel hyn yn ddieithr iawn i fi, cynulleidfa anferth a finne'n adnabod neb.

'Os wyt ti'n ffermwr o Gymru ac yn nerfus wrth weld miloedd o bobol ddieithr o dy flaen di, edrycha arnyn nhw fel llond cae o fresych,' medde fe. Ac yn ei eiriau ef,

71

fel 'field of cabbages' wnes i edrych arnyn nhw. A fe weithiodd.

Fe ges i'r fraint o fod ymhlith y pedwar cyntaf gafodd fynd i gyngerdd Gŵyl Dewi yn Lagos, Nigeria, lle roedd cymdeithas Gymraeg fyw iawn. Y pedwar oedd Richard Rees, Pennal; Iona Jones, Llunden; Margaret Lewis Jones, Llanbrynmair a finne. Roedd pennawd bras yn y *Western Mail* ar y pryd yn dweud rhywbeth fel '*Welsh Quartet go to Nigeria*'.

Rown i'n digwydd bod yn y mart yn Nhregaron ychydig cyn i fi fynd a dyma Dafis Pengarreg yn dweud wrtha' i, 'Bachan, bachan, Dai. Rwy'n gweld dy fod ti'n mynd mas i ganu i'r Blacs.'

'Na, na,' medde fi, 'ddim i'r Blacs ond i Gymdeithas Gymraeg Lagos.'

'Jiw, jiw,' medde Dafis, 'ma' Welsh Blacs 'na, oes e?'

Fe gawson ni amser da yn Lagos, jyst ar ôl y 'coup'. Hedfan allan o Heathrow a'r tywydd yn ddifrifol o oer. Roedd hi'n ddiwedd Chwefror a finne wedi gwisgo siwmper 'Aran' gyda choler i fyny hyd dwll fy ngwddw. Allan â ni ym maes awyr Lagos. Bobol bach, roedd hi'n uffernol o boeth yno, dros gan gradd.

Gan fod y 'coup' newydd fod roedd pawb yno braidd yn nerfus, ond fe gawson ni ein trin fel tywysogion. Rown i'n aros gyda theulu o Gymry oedd wedi treulio rhai blynyddoedd yn America. Roedd ganddyn nhw ferch fach o'r enw Wendy, eu plentyn ieuengaf, ac un noson fe fu'n rhaid i fi weiddi arni o'r stafell wely.

'Wendy, dere gloi, ma' 'na aligator ar y wal.'

Fe redodd draw a beth oedd yno ond madfall. Ond i rywun sydd ag ofn cathod roedd hwnnw'n edrych fel aligator.

Fe fydde ni'n ymarfer yn y bore gyda'r gyfeilyddes, Carol – Cymro oedd ei gŵr hi – yna fe fydde ni'n canu gyda'r nos. Pan ddes i adre fe fu'n rhaid i fi daflu fy siwt gan iddi fynd yn stiff fel cardbord ar ôl yr holl chwysu.

Allan yno fe gawson ni'r cyfle i ganu gyda chôr lleol, côr o bobol dduon oedd wedi ennill yn Llangollen, a dyna brofiad bythgofiadwy.

Dau o'r Cymry alltud amlwg yno oedd Elwyn Williams a'i wraig Rona. Roedd e'n un o benaethiaid y banciau yno a gyda nhw roedd Dic Rees yn aros, ac fe wnes inne aros gyda nhw ambell noson. Fe gawson ni wledd yno un noson ac, yn ystod y cinio, dyma Elwyn yn clapio'i ddwylo ac yn galw ar un o'r gweinyddwyr, dyn croenddu oedd yn cael ei adnabod fel Friday, a dweud wrtho am geisio cadw'r parot yn dawel. Parot ffrind oedd hwn, oedd wedi mynd bant ar ei wyliau ac wedi gadael y parot dan ofal Elwyn.

'Friday,' medde Elwyn, 'gwna rywbeth i'r parot 'na.'

Bwriad Elwyn oedd i Friday roi gorchudd dros y parot er mwyn ei gadw'n dawel. Y noson wedyn roedd gwledd arall a chyw iâr oedd ar y fwydlen. Ar ôl y prif bryd, dyma Elwyn yn llongyfarch Friday.

'Cyw iâr neis,' medde fe.

'Nid cyw iâr odd e, syr,' medde Friday, 'parot odd e.'

Fe fu'n rhaid i Elwyn fynd i chwilio am barot arall yn union yr un lliw a siâp a'r un gafodd ei goginio. Fe lwyddodd i gael un ond fe osodwyd y caets yn rhy agos i wifren drydan. Fe biliodd yr hen barot y gorchudd plastig a'r bore wedyn dim ond swp o blu oedd ar ôl. Collwyd dau barot o fewn tridiau!

Dyna un anhawster o fwyta yn Lagos. Wydde chi ddim beth oedd ar eich plât chi. Unwaith, mewn tŷ bwyta tywyll iawn, roedd Dic yn methu deall beth oedd y sŵn crafu oedd ar ei blât wedi iddo orffen bwyta. Fe daniodd fatshen a gweld cregyn gwag a sylweddoli iddo fwyta malwod am y tro cyntaf yn ei fywyd.

Roedd mynd i'r marchnadoedd yn Lagos a gweld pobol yn ceisio cael bargeinion wrth brynu bagiau llaw ac ati yn brofiad newydd iawn i fi. Roedd llawer o fynd ar wisgoedd traddodiadol y menywod. Ffrogiau hir lliwgar oedden nhw ac fe brynodd Dic a fi un yr un ar gyfer y gwragedd yn ôl yng Nghymru. Ar ôl cyrraedd adre dyma fi'n dweud wrth Olwen fy mod i wedi prynu Afghan iddi.

'Afghan,' medde Olwen, 'be' gythrel wna i â hwnnw? Shwt lwyddes ti i ddod ag e' 'nôl? Wyt ti wedi gweld y fet?'

'Beth wyt ti'n feddwl, gweld y fet?'

'Wel, os ddes ti 'nôl ag Afghan, fe fydd yn rhaid i ti fynd â'r ci at y fet.'

'Ci? Ffrog yw hi, nid ci.'

'Y twpsyn,' medde Olwen, 'kaftan yw hi felly, nid Afghan.'

'Dai yn Ffrainc' oedd un o'r rhaglenni tramor cyntaf i ni wneud fel rhan o *Cefn Gwlad*. Mynd draw i dde'r wlad yng nghwmni Now o Hogia Llandegai yn ystod tymor casglu'r grawnwin. Dyna oedd craidd y stori – Now a finne'n mynd draw i gynaeafu grawnwin. Nid yn unig casglu'r ffrwythau ond hefyd eu gwasgu nhw a gwneud y gwin. A'i yfed e, wrth gwrs! Wnes i erioed yfed cymaint o win coch yn fy mywyd. Roedd e'n dod mas o 'nghlustie i.

Mewn un lle fe gawson ni wahoddiad gan rhyw hen foi bach i fynd rownd i'r cefn i gael blasu gwin arbennig. Ei arllwys allan o jwg fach wnaeth e. Gwin coch mor llyfn â hufen oddi ar wyneb llefrith.

Fe gawson ni hefyd gyfle i flasu gwahanol fwydydd. Welais i erioed fytwr fel Now, fe wnâi e' fwyta unrhyw beth. Dyma gael pryd o falwod, a'r fenyw fach oedd yn gweini arnon ni'n ceisio esbonio wrthon ni beth i'w wneud. Roedd hi'n tynnu malwen allan o'i chragen yn hawdd ddigon, yn tasgu allan fel spring. Mi esboniodd mai'r gwaelod oedd y perfedd, y canol oedd y stumog ac i ni fwyta'r rhan ucha. Fanny oedd y cig. Fe fydde Now yn dechre yn y perfedd, tynnu'r falwen allan a'i bwyta hi'n gyfan ac wrth ei fodd gyda hi! Ar noson arall fe gawson ni goesau broga. Fedrwn i ddim cyffwrdd â'r rhain, hyd yn oed petai rhywun yn cynnig ffortiwn i fi. Fe wnes i lwyddo i fwyta top un falwen, a hynny yn un o dai bwyta gorau Ffrainc o ran gweini malwod. Rhaid cyfadde fod y saws yn flasus tu hwnt ond ddweda'i ddim am flas top y falwen.

Ar y prynhawn cynta oedden ni yno fe dorrodd y car i lawr, hen Diane bach. Yn gynta fe dorrodd y camera, a rhaid oedd mynd i Toulouse, taith o tua 110 o filltiroedd ar hyd ffyrdd unffordd ardderchog. Mynd 'nôl wedyn i hurio car arall a mynd 'nôl eto i Toulouse i gasglu'r camera a oedd wedi ei hedfan allan i ni ar awyren. Fe gollson ni ddiwrnod cyfan o ffilmio.

Mi fuon yn ffilmio ar gamlas, y Canal du Midi, sy'n ymestyn dros gant chwe deg milltir, rhwng y Môr Canoldir a'r Atlantic, a chael hwyl arbennig iawn ar un o'r 'barges'. Fe wnaeth gofalwr y cwch yn siŵr fod ganddon ni gyflenwad digonol o win. Roedd e'n ca'l modd i fyw ac erbyn amser cinio bob dydd, fe fydde fe'n feddw gaib. Bachan da i fod yng ngofal cwch! Am nad oedd e' mewn stâd ddigon sobor, fi a Now oedd yn gofalu am y cwch. Diolch byth nad hwn oedd yng ngofal Arch Noa.

Yn wreiddiol roedden wedi bwriadu cysgu ar y bad ar y canal ond roedd HTV wedi llogi tŷ i ni, un digon mawr i'r criw cyfan. Bwthyn cyffredin cefn gwlad, yn union fel petai ar lethrau Ffair Rhos, ond fod hwn yng nghanol y gwinllannoedd yn Capestang, heb fod yn bell o Beziers. Fe fydden ni'n siopa yn yr archfarchnad leol a gwneud ein bwyd ein hunain. Roedd hyd yn oed pwll nofio ger y bwthyn a fe fu Now bron iawn a cha'l perswâd arna i i nofio. Ond fe fues i'n ddigon call i wrthod. Rwy ofn dŵr ond doedd Now ddim ac roedd 'i weld o yn y dŵr yn ddoniol. Dyna'r torrwr gwynt gorau welais i erioed. Roedd e' fel cwch injan 'two-stroke' ac rown i'n disgwyl i rywun weiddi unrhyw funud, *'Come in, number 99, your time is up'*.

Weithiau, ar ôl bod yn ffilmio, fe fydden ni'n dod 'nôl i'r tŷ ddiwedd y prynhawn a'r gwres ar ei anterth. Roedd dyn y goleuadau, Alan Studholme, yn un o'r goreuon yn ei grefft yn y dyddiau pan oedd dyn goleuadau yn aelod angenrheidiol o'r criw. Roedd Alan yn nofiwr heb ei ail a dyma fe'n neidio i mewn i'r pwll. Pan ddaeth allan fe orweddodd ar ei hyd ar wely haul, ei freichiau a'i goesau ar led heb ddim amdano ond pâr o shorts o faint macyn poced. Yno roedd e'n socian yr haul. Fedrwn i ddim gwrthod y demtasiwn o fynd i'r rhewgell i nôl llond jwg o ddŵr oer a rhew ynddo fe. Allan a fi wedyn ar y balconi oedd uwchben y pwll a gwacáu'r jwged gyfan dros 'i fol e. Welais i neb yn codi'n gyflymach erioed.

Fe wnes i fwynhau'r daith yn Ffrainc. Rown i'n teimlo fod pobol ardal Capestang yn dyddynwyr oedd yn fodlon siario popeth â ni. Tra buom yno fe gawson ni gyfle i ymweld â gwinllannoedd a ffermydd. Fe fuom ym Mharis am un noson hefyd, a dyna brofiad braf oedd hwnnw.

Ar ôl bod yn Ffrainc cawsom fynd ar daith i Seland Newydd i ffilmio rhaglen awr am deulu o chwech o blant o Lan Conwy oedd wedi mynd allan yn ifanc gyda'u rhieni. Tudor, y mab hynaf oedd wedi ymfudo yn gynta fel gwas ffarm, ac yna gweddill y teulu yn gadael popeth i ymuno ag e'. Fe aeth nai i'r teulu allan gyda nhw hefyd i'w helpu. Tipyn o fenter gan fod y teulu wedi hen ymsefydlu yn eu bro, yn bobol gyhoeddus a pharchus, y tad yn flaenor yn y capel ac yn Gynghorydd. Mynd allan ar long yn y dyddiau hynny, a chymryd rhai misoedd i gyrraedd pen eu taith. 'Nôl yng Nglan Conwy roedd y tad wedi bod yn arweinydd y gân a, chyn gadael Cymru, fe roddodd ei lyfr tonau i'w nai o Dyddyn Dicws, oedd yn frawd i Wil yr Hafod, fel bod gan hwnnw rywbeth i gofio amdano fe. Yr hyn wnes i, hanner can mlynedd yn ddiweddarach, oedd mynd â'r llyfr tonau 'nôl i Tudor yn Seland Newydd. Roedd hwnnw'n achlysur arbennig iawn.

Mae Seland Newydd yn un o'r gwledydd harddaf i fi fod ynddi erioed a golygfeydd hyfryd yn Taranaki ar yr Ynys Ogleddol. Roedd hi'n wlad ragorol, brydferth. Ychydig iawn o drafnidiaeth oedd ar y ffyrdd a gallech symud yn hwylus o le i le. Cefais gyfle i ymweld â'r ffermydd a gweld sut oedden nhw'n ffermio. Gan fod y tywydd yn garedig mae'r gwartheg yn cael bod allan. Mae tir da iawn yno a phorfa i'r brig i'r miloedd ar filoedd o ddefaid sydd yno. Mynd i'r marchnadoedd .wedyn lle'r oedd pobol yn hamddenol, braf.

Weithiau fydde hi'n ddim byd cyfarfod â dau neu dri chant o wartheg Jersi ar y ffordd, yn cael eu gyrru gan ddau neu dri o fois ar gefn moto beics bach. Moto beics tebyg i'r hen Bantams fu mor boblogaidd yng nghefn gwlad Cymru 'nôl yn y Pumdegau.

Yr unig anfantais i fi oedd y daith hir yno ar yr awyren. Fe gymrodd ddeuddeng awr ar hugain i ni deithio o Heathrow i faes awyr New Plymouth ac fe fu'n rhaid i ni aros am bedair awr yn Sydney, Awstralia. Taith hir iawn a blinedig, ond taith fuodd yn werth ei gwneud.

Taith arall fu honno i Norwy. Erbyn hyn rown i wedi dechre sgïo ond, yn Norwy, sgïo traws gwlad oedd y gamp. Methu wnes i. Yn gwmni i fi yno roedd Wil yr Hafod, y ddau ohonon ni yno er mwyn gweld y wlad, yn arbennig y ffermydd bychain. Fe gawson ni gyfle i bysgota drwy dorri twll yn y rhew a gollwng y bachyn lawr a dal ambell bysgodyn.

Yn Roros oedden ni'n aros, lle oer iawn. Peth rhyfedd oedd mynd i'r gwahanol ffermydd a gweld y defaid a'r gwartheg yn ca'l eu cadw mewn. Fe ddigwyddodd un peth ofnadwy pan aethon ni ar daith ar geir llusg. Pob sled yn cael ei thynnu gan dîm o wyth o gŵn Husky.

Bachan lleol, arbenigwr ar y busnes oedd yn arwain, gyda fi yn dilyn a Wil yn fy nilyn i. Dyna lle'r own i'n troi 'nôl i sgwrsio â Wil pan glywes i'r arweinydd yn gweiddi fel rhywbeth o'i go'. Fe droies i rownd a gweld ein bod ni'n gorfod mynd o dan y ffordd drwy ryw dwnnel oedd ddim uwch na pheipen. Fe blygais i lawr jyst mewn pryd. Petawn i wedi aros ar fy nhraed fe fyddwn i'n gelain.

Roedd angor yn arf pwysig yn y busnes ceir llusg yma. Petai chi'n stopio i siarad â rhywun roedd hi'n beryglus iawn i chi adael y car llusg i fympwy'r cŵn. Mewn eiliad fe fydden nhw bant a wnâi chi byth eu dal nhw. Roedd hi'n bwysig felly, os oeddech chi'n gadael y sled am unrhyw reswm, eich bod chi'n gosod yr angor yn sownd yn y rhew.

Ar gyfer bwyta roedd pabell wedi'i gosod gerllaw lle'r oedd yna ddarpariaeth ar ein cyfer ni o gig carw wedi'i sychu, bisgedi a phaned o goffi. Fe ddwedodd yr arweinydd wrthon ni am roi dŵr i ferwi ar y tân bach oedd yng nghanol y babell er mwyn gwneud y coffi. Roedd yna gan plastig coch wrth law a dyma feddwl mai hwn oedd yn dal y dŵr. Fe arllwyson ni'r cynnwys i mewn i sosban a'i rhoi hi ar y tân i ferwi. Diawch, dyma ni'n gwynto rhywbeth rhyfedd! Fe wnes i ailafael yn y can a'i wynto – nid dŵr oedd ynddo fe ond petrol! Fues i ddim yn hir yn tynnu'r sosban oddi ar y tân. Oni bai am hynny fe allai Wil a fi fod mewn orbit yn hytrach na Roros.

Tra oedden ni yn Roros roedd Mabolgampau Olympaidd y Gaeaf yn cael eu cynnal yn Norwy. Fe aethon ni drwy Lillehammer, lle'r oedd cystadleuaeth sgïo llethr y dynion yn cael ei chynnal. Dyna wefr oedd ca'l gweld y lle, ond doedd Lillehammer ddim y lle i fi.

Fe fuon ni hefyd draw yn y brifddinas, Oslo, sy'n enwog am allforio pysgod a choed, a matshus, o bopeth. Un bwriad o fynd yno oedd gweld lle roedd cystadleuaeth neidio'r dynion ym Mabolgampau'r Gaeaf i'w chynnal. Y bwriad pwysicaf oedd mynd i weld Iori Roberts, mab y Parchedig Aled Roberts, Abergele, pregethwr enwog iawn yn y gogledd. Iori wnaeth ein harwain ni o gwmpas y wlad a dangos i ni'r ceirw yn yr eira yn Lapland, ymhlith pethe eraill.

Y cynta o'r teithiau o'r math hyn oedd *Dai ar y Piste*. Ac mae'n siŵr mai dyna'r rhaglen ddoniola wnâ i byth. Down i erioed wedi sgïo nac wedi bod yng nghwmni sgïwyr tan i mi fynd i'r Eidal yng nghwmni Wil yr Hafod. Fi'n gwybod dim am y busnes ond roedd Wil yn sgïwr heb ei ail. Roedd wedi bod yn mynd ers blynyddoedd gydag Ysgol Glan Clwyd fel gofalwr, ac wedi dysgu'r grefft ac wrth ei fodd. Yn Courmayer yng ngogledd yr Eidal oedden ni. Tre fach hyfryd ym mhen pella Dyffryn Aosta, sy'n cysgodi o dan Mont Blanc. Mae'r twnnel sy'n mynd o dan y mynydd i Chamonix yn ymyl. Yn anffodus doedd hi ddim yn adeg dda am eira gan ei bod hi tua diwedd y tymor. Ond mynd wnaethon ni.

Ar y noson gynta fe gyrhaeddodd criw o'r Alban. Dim ond gollwng eu bagiau wnaethon nhw cyn mynd am wisgi bach. Wedyn fedren nhw ddim meddwl am ga'l swper heb, yn gyntaf, ddod lawr unwaith ar hyd y llethr sgïo. Dim ond eistedd mewn rhyw gerbyd bach wrth ochr y gwesty oedd ei angen a fe fydde hwnnw yn eich cario chi fyny i'r uchelderau maith. Fe aeth yr Albanwyr i fyny fesul pedwar, dau ŵr a dwy wraig. Ond wir i chi, dim ond un gŵr ac un wraig ddaeth 'nôl. Ble oedd y pâr arall? Lawr yn yr ysbyty yn cael plastar wedi'i osod ar wahanol rannau o'u cyrff, un wedi torri bigwrn a'r llall wedi torri coes. 'Diawl', medde fi wrth Wil, 'fe fydda i'n mynd lan bore fory!'

Dyna fachan pert i fynd i sgïo own i, a finne'n gwybod dim. Ond lan yr es i ac anghofia i ddim tra bydda i byw. Yr hyfforddwr, yr hen Pierino oedd yn fy nysgu. Roedd ganddo amynedd Job ac roedd ei angen arno fe ar gyfer dysgu rhywun cwbwl dwp fel fi. Y cwbwl oedd e'n ddweud oedd, *'Bend de knees, bend de knees'*. Finne'n gofyn iddo fe pwy ddiawl oedd y Denise 'ma roedd e'n cyfeirio ati byth a hefyd. Gweld pethe'n gwella rhyw ychydig ac yn canmol, *'Oh, you are so good now'*. Yna, yn sydyn rhyw ebychiad uchel, *'Oh bloody hell!'* Roedd Pierino wedi mabwysiadu'r term *Shit-a-breek* pan fydde pethe'n mynd o chwith, a Geraint yn ceisio ffrwyno ychydig arno drwy ofyn iddo beidio â defnyddio'r dywediadau hynny o flaen y camera. Ei ateb oedd, *'So, you don't a-like sheet-a-breek and bloody hell? You do not want sheet-a-breek and bloody hell on your programme because you don't a-like sheet-a-breek and bloody hell?'* Geraint yn esbonio'n amyneddgar nad oedd ganddo fe ddim byd yn erbyn y dywediadau, ond iddo beidio â'u ddefnyddio nhw'n rhy aml. Yntau'n ateb, *'All a-right, you no want bloody hell and sheet-a-breek you no get bloody hell and sheet-a-breek'*. O fewn chwarter awr, a rhywbeth arall yn mynd o'i le, dyma fe wrthi eto. *'Oh, bloody hell…'* ac yna'n cofio ac yn ceisio addasu'r waedd, *'Oh, Daaai, bloo-a-bloo-a-bloo…'* Fe gofiodd jyst mewn pryd i beidio â gorffen y 'bloody'.

Mab i dyddynnwr o ogledd yr Eidal oedd Pierino, un o sgïwyr gorau'r byd. Roedd hi'n fraint ca'l fy nysgu ganddo fe, ca'l bod wrth draed y meistr, a hynny'n llythrennol yn aml. Fe fuodd e'n amyneddgar, ond rhaid cydnabod mai gan Wil y dysgais i fwya. Erbyn heddiw rwy'n teimlo nad oes gwell gwyliau i'w cael na gwyliau sgïo. A rwy'n *medru* sgïo erbyn hyn!

Breuddwyd llawer o Gymry yw cael mynd i Batagonia, mae rhyw ramant hyd yn oed yn enw'r lle. Fe fuo ni yno ddwywaith. Pan aethon ni gynta fe wnaethon ni ffilmio'r hyn fyddai disgwyl i ni ei ffilmio. Mynd i'r eisteddfod yn Nhrelew, ffilmio pobol yn marchogaeth dros y paith, ymweld â'r Gaiman, mynd i'r capel a mynd

i weld Porth Madryn lle glaniodd y Cymry cyntaf.
Roedd e'n union fel ceisio gwneud rhaglen ar Gymru
heb fynd ond i Gaerdydd a Chaernarfon. Mynd yno
wnaethon ni i weld yr hyn mae pobol yn dueddol o fynd
i'w weld.

Ar yr ail ymweliad fe aethon ni fwy at y bobol oedd yn
cyfrif a'u ffilmio nhw yn byw eu bywyd bob dydd.
Rwy'n cofio'r bore cynta i ni ymweld â Phorth Madryn,
tre glan môr a lle gwyntog. Dim i'w weld ond creigiau ac
anialwch. Wrth deithio i'r Gaiman roedd hi'n uffernol o
boeth a llwch ymhob man. Meddyliwch am y Cymry
cyntaf i gyrraedd yno, beth yn y byd oedd eu barn nhw
o'r lle yr oedden nhw wedi gadael Cymru i fynd iddo?
Oedden nhw, tybed, yn rhegi Michael D. Jones am eu
denu i'r fath le? Fe gymrodd hi ail ymweliad cyn i fi
lawn sylweddoli aberth y bobl, a'r dylanwad sy'n aros
yno hyd heddiw.

Fe wnaethon ni aros yn y Gaiman am bump neu chwe
diwrnod a chwrdd â chymeriadau mewn ardaloedd
cyfagos: Tomi Hyde Park, er enghraifft. Roedd Tomi
dros ei 90 a finne'n gofyn iddo a fydde fe'n codi'n
gynnar. Atebodd mai fe fydde'n codi gynta. Diawch,
dim ond fe oedd yn byw yno.

Ardal Dolafon wedyn, cwrdd â mwy o gymeriadau a
sgwrsio â'r Cymry oedd yn gofalu am yr argae a
phenderfynu, wrth gwrs, mynd i'r ffermydd. Fe fuon ni
ymron ym mhob fferm yn y Gaiman lle roedd yna
siaradwyr Cymraeg. Roedd pawb yn garedig wrthon ni
gan ein gwahodd ni i barti, rhyw fath o noson lawen a
phawb yn gorfod canu. Beth oedd yn ddiddorol oedd
fod y bobol oedden ni yn eu cyfarfod yn dychmygu sut
oedd pethe yng Nghymru a ninnau'n dweud sut oedd
hi. Y peth rhyfeddaf oedd fod y ddau ddarlun mor
debyg. Sôn am y bywyd gwledig, sôn am ein Soar y
Mynydd, am ein Tregaron ac am ein Mynydd
Hiraethog.

Rwy'n cofio gofyn i Emrys yn Nolafon a oedd e' wedi bod yng Nghymru erioed. Na, ddim erioed er ei fod bron yn ddeg a thrigain, ond roedd e'n Gymro glân gloyw. Ffermwr mawr a thri o feibion yn ffermio gydag e a dyma fe'n dweud: "Dw'i wedi clywed rhywun yn dweud fod yna rhyw Gadair Idris yno.' Dyna'i gyd a wyddai am ddaearyddiaeth Cymru.

Sbaenes oedd ei wraig, ond fe alle fe'n hawdd fod yn byw yng Nghymru. Roedd e'n aelod o'r cwmni drama lleol, yn aelod o barti canu ac yn gwneud yr union bethe ag y bydde fe'n eu gwneud yng Nghymru.

Irfon Tŷ Halen wedyn, Archentwr oedd yn siarad Cymraeg ond na fu yma erioed. Roedd e'n hoff iawn o'r 'Fandango'. Roeddwn i wrth fy modd yn y Gaiman. Roedd yno ffermio da a phobol hyfryd, ond y poethder oedd yn lladd rhywun. Roedd hi'n llawer rhy boeth i weithio o ganol dydd ymlaen am ryw dair neu bedair awr. Syniad da a ddylai gael ei fabwysiadu yma yng Nghymru yw'r 'siesta'.

Ymlaen wedyn dros y paith. Roedd hi'n amhosib llogi car da yno. Car fel Renault 12 oedd yr unig fath ar gael yno, a byddem yn teithio yn hwnnw am tua 700 cilomedr. Roedd hi'n wyntog iawn hefyd. Buom yn ffilmio yn Rhyd yr Indiaid lle roedd gan yr hen Green, a arferai ddod yn aml i Dregaron, fferm ddefaid. I gyrraedd y ffermydd roedd gofyn teithio tua 30 milltir o'r ffordd fawr ac, o gyrraedd y top lle'r oedden nhw'n ffermio – y Cap fel y bydden nhw yn ei alw – doedd yno fawr ddim yn tyfu ond roedd y defaid yn llwyddo'n rhyfeddol.

Roedd hi'n bleser cyrraedd cyffiniau Esquel, gweld y borfa'n dechrau cael gafael, buchesi mawr yno a'r Gauchos yn mynd adre o'u gwaith. Rhes ohonyn nhw'n ymolchi yn yr afon cyn mynd, gwisgo dillad glân a mynd ar eu merlod. Llawer ohonyn nhw wedi bod yn ymladd yn Rhyfel y Malfinas. Roedden nhw'n byw yn eu tai eu hunain yn y gwersyll, a'r tai yn union yr un fath â thai ein teidiau a'n neiniau ni yma yng Nghymru, yn cynnwys ffwrn wal. Y bwyd yn cael ei baratoi ar gyfer ymwelwyr ar ffurf 'asado', sef lladd ac agor yr oen ar y spit a'r cig oen a'r cig mochyn yn rhostio yno. Y tu allan i'r ardd fe fydde yna le i bawb eistedd o gwmpas. Petawn i'n gorfod dewis lle ym Mhatagonia i fyw ynddo, Esquel fydde'r lle hwnnw.

Bydde'r ffermwyr yn mynd gyda'r gweithwyr i'r mynyddoedd i ffensio ac ati. Bwyd oedd y tâl pwysicaf iddyn nhw a byddid yn lladd ŵyn a gwartheg ar eu cyfer. Bydde'r gweision yn gorfod bod yn wyliadwrus ar y ffin â Chile rhag ofn i fuwch gael ei chipio. Roedd teuluoedd mawr yno'n byw yn wyllt, fel ein hipis ni.

Fe fydde'r gweision yn mynd â'u gitârs a'u drymiau gyda nhw i'r mynyddoedd. Roedd yr offerynnau hynny mor bwysig â'r offer ffensio, y polion a'r weiers, a'r cyfan yn cael ei lusgo ar geffylau neu geir llusg. Byddent yn y mynyddoedd am ddyddiau – yn wir, fe gymerai rai dyddiau i gyrraedd yno. Cysgu wedyn dan y lleuad. Dim sôn am law, ac ar ôl gorffen y gwaith, dod adre at groeso'r gwragedd a'r plant.

Pan glywech chi'r ffermwyr yn sgwrsio â'r gweision mewn Sbaeneg, prin y medrech chi ddychmygu eu bod nhw'n medru siarad Cymraeg. Ond does dim angen iddyn nhw siarad i brofi eu Cymreictod, mae eu pryd a'u gwedd nhw'n dangos yn glir mai Cymry ydyn nhw.

Ar y ffermydd roedd yr arferion yn debyg iawn i'n rhai ni, mynd â'r defaid i ffwrdd yn y gaeaf a wedyn dod 'nôl â nhw yn y gwanwyn, ond eu bod nhw yn mynd â'r gwartheg i ffwrdd yn y gwanwyn i bori'r mynyddoedd dros yr haf. A'r Gauchos ar eu ceffylau yn bugeilio bob dydd. Lladd eidion wedyn at bwrpas y tŷ. Fydden nhw byth yn gorfod mynd ar gyfyl siop bwtsiwr nac yn gorfod prynu dim byd arall chwaith. Maen nhw'n codi'r bwydydd ac yn gwneud eu caws a'u menyn eu hunain, byw fel oedd hi yng Nghymru ers talwm.

Un o'r pethe mwyaf gwefreiddiol fu ffilmio Vincent Evans, un o nifer o blant, i gyd yn Gymry da. Roedd gan Esther, un o'i chwiorydd, ffedog fras amdani bob amser. Mynd gyda Vincent ar hyd y stryd yn Nhrefelin a phobl yn ein cyfarch ni yn Gymraeg. 'Sut y'ch chi heddiw? Ydi chi'n go lew?' Fe fedrech chi dyngu eich bod chi gartre yng Nghymru.

Mae gan Vincent bedair fferm ac roedd yn byw ar un oedd tua deuddeg milltir o ffin Chile. Roedd bwlch yn y graig fel petai chi'n edrych draw ar Bumlumon o ochrau Aberhosan. Wedi cyrraedd Cwm Hyfryd, medde Vincent, gan gyfeirio at y bwlch mawr yn y graig, 'Fanco y daeth y Cymry. Cerdded yr holl ffordd o Borth Madryn dros y paith, cymryd misoedd ar fisoedd i wneud hynny a dod i fanna ac edrych i lawr a meddwl, "O, dyma gwm hyfryd".'

Roedd rhywun yn teimlo'i fod e'n sefyll ar dir hanesyddol, ar dir sanctaidd bron iawn. Mae'n anodd dod o hyd i'r disgrifiad iawn. Rwy'n cofio mynd lan i Lanrafon Fach, cartre Vincent, mangre arbennig ac yno, wrth i ni syllu ar y bwlch, fe ganodd Vincent un o ganeuon Dafydd Iwan. Ac o feddwl am yr arloeswyr cynnar hynny yn cael eu galw gan y wlad bell, ac yn dilyn y freuddwyd ar eu taith hir dros y paith roedd hi'n gân berffaith i'w chanu 'Mi glywaf, mi glywaf y llais' a Vincent yn dod at y gytgan:

> Ni wyddom pa beryg a ddaw,
> Estyn i minnau dy law,
> Aros amdanaf, ni fedraf fi gerdded yn hir.

Roedd hi'n amhosib cadw'r dagrau rhag llenwi'r llygaid wrth glywed hynna.

Roedd Vincent yn ddyn ymarferol ac ar ôl lladd tarw, byddai'n ddefnyddio pob rhan ohono. Y cig, yn naturiol, a phopeth arall hefyd. Roedd y croen yn bwysig iddo, hyd yn oed y pwrs. Fe'i torrai bant a gwnïo dwy handlen fach wrtho. Roedd o'n gryn grefftwr mewn lledr. Medrai lunio ffrwynau i'r ceffylau o'r croen tarw, defnyddio'r rhawn wedyn ar gyfer straps watsh, a bangyls neu fodrwyau i ddal hancesi gwddw. Fe gadwai'r offer i gyd, yn sisyrnau, nodwyddau a chyllyll ym mhwrs y tarw. Fe ddaeth allan un bore gan ddal y pwrs yn ei law a gofyn: 'Dei, be' ti'n feddwl o nghwdyn twls i?' Dyna'i chi wreiddioldeb. A *mae* nhw'n bobol wreiddiol gydag ateb parod bob amser.

Dyna'r traddodiad ac mae traddodiad yn bwysig iawn i'r bobol hyn. Roedd y fferm nesa at Vincent yn dal i ddefnyddio pâr o ychen i wneud gwaith trwm fel llusgo coed.

Ond does neb yn mynd yn ieuengach a newid mae pethe. Breuddwyd llawer o'r genhedlaeth hŷn yw cael dod drosodd i Gymru cyn diwedd eu hoes. Mae nifer, wrth gwrs, wedi bod draw, ac yn eu plith Uwchllyn Rowlands. Dyna'i chi enw. Ddim ond mewn un man yng Nghymru y gallai ei wreiddiau fod. A do, fe welais i fe unwaith yn Llanuwchllyn.

Bu gen i syniad ers tro bellach, syniad wnes i ei grybwyll unwaith wrth rai o aelodau'r Cynulliad Cymreig a dwi am wthio'r syniad ymhellach. Dwi'n credu y dylen ni fel Cymry dalu am docyn teithio a threuliau i alluogi pob un o'r bobol hyn sydd dros eu trigain oed i ddod drosodd i Gymru am fis dros yr haf, fel y gallen nhw ymweld â'r Sioe Frenhinol a'r Brifwyl. Chostiai hynny ddim llawer i'r hen wlad yma. Fe fyddai'n deyrnged gymwys iddyn nhw am yr hyn mae nhw wedi ei wneud i gadw'r iaith yn fyw ym mhen draw'r byd. Dim yn unig cadw'r iaith ond cadw hefyd yr hen ffordd o fyw.

Mae'n iawn talu am athrawon i fynd draw i ddysgu Cymraeg i bobol ifainc Y Wladfa. Ond beth am helpu hefyd y to hŷn, y bobol sydd wedi cadw'r iaith yn fyw? Mae'r ifainc yn hoffi dangos eu bod nhw'n Gymry ac am ddysgu'r iaith, ond mae eu rhieni a'u teidiau a'u neiniau wedi byw fel Cymry ar hyd y blynyddoedd. Does dim angen iddyn nhw brofi eu bod nhw'n Gymry. Cymry ydyn nhw. Dim ond Sbaeneg a Chymraeg sy' ganddyn nhw. Ceisiwch siarad Saesneg â nhw a wnân nhw ddim o'ch deall chi.

Fe wnes i holi sawl un ohonyn nhw be' hoffen nhw ei wneud cyn belled ag y mae Cymru yn y cwestiwn. Ateb llawer iawn ohonyn nhw oedd cael bod yn y Gymanfa ar nos Sul ola'r Brifwyl. Fydde cymwynas fach felna ddim yn beth anodd iawn i'w threfnu ar gyfer ein brodyr a'n chwiorydd sydd mor bell i ffwrdd. Mae nhw'n mynd drwy gyfnod anodd iawn yn economaidd. Dydyn nhw ddim yn gyfoethog yn ariannol o bell ffordd, yn arbennig y dyddiau hyn, ond mae ganddyn nhw gyfoeth o ran teyrngarwch, diwylliant a chariad at Gymru. Yn hynny o beth mae nhw'n gyfoethocach na ni.

Fedrwn i ddim peidio â synnu wrth glywed rhai ohonyn nhw'n disgrifio dyddiau eu plentyndod. Roedden nhw wedi byw yn union yr un fath a ni adre yng Nghymru pan oedden ni'n blant. Dydyn nhw ddim yn bobol sy'n chwennych y bywyd moethus. Ydyn, mae nhw'n berchen ar dai mawr yn Esquel a'r Gaiman ond dydyn nhw ddim yn dai moethus. Mae nhw'n dai hyfryd, cartrefol a chroesawgar. A llond bol o fwyd yn disgwyl pawb bob amser.

Ac o son am fwyd, roedd hi'n werth mynd draw petai ond am y ffaith i ni ymweld â Buenos Aires ar y ffordd i'r Wladfa ac ar y ffordd adre. Dyna'i chi fwyd. Châi chi ddim stecen o dan ugain owns, roedden nhw mor fawr â 'mud-flaps' loris Mansel Davies, ac yn cael eu coginio mewn ffordd arbennig fel bod y cig yn toddi yn eich ceg chi fel menyn.

Yn y tai bwyta bach yn y Wladfa wedyn, cig oedd popeth. Cig bob pryd os mynnech chi a'r cig hwnnw'n cael ei baratoi o'ch blaen chi. A gwin, wrth gwrs. Fe fydden nhw'n stwffio gwin coch lawr fy ngwddw i, dim bod angen gwneud hynny, wrth gwrs. Fe gaech chi win coch a chig drwy'r dydd, a thrwy'r nos petai angen. Peth cyffredin fydde bwyta ganol nos neu'n hwyrach, a llond y lle o bobol mewn oedran da, llawer yn bwyta cig a dim ond cig. Fe gâi chi daten petai chi'n gofyn am un, a honno o faint swedjen. A bara hefyd. Roedd bara yn rhan bwysig o'r pryd.

Roedd llaeth yn bwysig yno hefyd, a chynnyrch llaeth fel iogwrt a llaeth enwyn. Mae nhw'n dal i gorddi, wrth gwrs, a'r hen dai corddi bach, neu'r llaethdai, yn edrych yn union fel yr arferen nhw fod yma yng Nghymru yn yr oes o'r blaen.

Fe hoffwn i fynd yn ôl yn arbennig i ymuno â'r hen Vincent cyn iddo fynd yn rhy hen. Mynd ar geffyl gydag e wrth iddo fynd ar ei ddreif olaf, dod â'r gwartheg adre am y tro olaf. Mae Vincent yn gwasgu at ei bedwar ugain ac wedi bod yn gyrru gwartheg ers pan oedd e'n ddeg oed. Nid iddo ef y syniad o ymddeol a thynnu pensiwn yn drigain a pump. Gorffen pan ddaw hi'n amser i orffen wnaiff Vincent. Ond teimlad trist oedd ei glywed e'n dweud, 'Dim ond dwy waith eto fyddai'n ei wneud o, 'sti. Rwy'n mynd yn rhy hen.'

Mae'r Wladfa yn fangre arbennig. Does dim hastio, dim gwylltio. 'Pasiwch ymlaen,' yw eu dywediad mawr nhw pan wnewch chi ymweld â'u cartrefi. Hynny yw, 'Dewch ymlaen'. 'Mae popeth yn iawn,' medde nhw wedyn. Ydi, mae popeth yn iawn. Ond am ba hyd?

Mae'r derbyniad gewch chi yn anhygoel. Pan wnewch chi alw, does neb yn disgwyl i chi aros llai nag ychydig ddyddiau. Dydi cael ymwelwyr am un prynhawn ddim yn dod yn agos i'w meddyliau nhw. Mae'n rhaid cael amser i eistedd i lawr a sgwrsio a bwyta. 'Gwell i fi fynd i chi gael mynd i odro,' a'r ateb yn dod, 'Pam wyt ti mewn cymaint o frys?' Dywediad mawr Vincent yw, 'Does dim amser i fod ar frys.'

Mae ganddyn nhw eu hiwmor eu hunain. Rwy'n cofio galw gyda mam a'i dwy ferch ym Mryngwyn yn y Gaiman. Un ferch yn rhedeg siop fferyllydd a'r llall yn rhedeg siop bwydydd iach a'r tad wedi marw'n ifanc. Wrth fynd i'r ardd yn eu cartref a gweld ffwrn wal gofynnais beth fydden nhw'n ei goginio a dyma un o'r merched yn ateb, 'Fe fyddwn ni'n coginio tatws a moron a'r cig i gyd.' Ac yna dyma hi'n edrych i fy llygaid gyda gwên a dweud, 'Ac fe fyddwn ni'n gwneud pwdin reis i bobol neis.' Mae'r math yna o wit yn dod yn naturiol iddyn nhw.

Roedd gwybed bach yn bla allan yno a finne'n gofyn i'r ferch a redai'r fferyllfa a oedd ganddi rywbeth at frathiadau'r gwybed yma oedd yn cnoi fel Jac Rysels. 'Gwybed bach?' medde hi. 'Ydi'r gwybed bach yn dy boeni di?' 'Fy mhoeni i! Mae nhw'n fy mwyta i'n fyw.' A'r ateb yn dod fel ergyd o wn, 'Y gwybed bach yn dy fwyta di? Mae eisiau llawer o wybed bach i dy fwyta di!'

Bûm yn sgwrsio ag un o'r dynion ar y stryd un dydd am y capel a hwnnw'n dweud fod y bregeth bellach i'w chael ar y radio. Aeth ymlaen i ddweud am y gweinidog yn ei holi pam nad oedd wedi bod yn y capel yn ddiweddar. Yntau'n ateb, 'Fe fyddai'n dy wrando di ar y radio. Mae hi'n ardderchog a rwy'n gallu ei diffodd hi cyn y casgliad.' Mae rhyw ddigrifwch naturiol felna yn rhan ohonyn nhw.

Un peth diddorol o sgwrsio â'r bobol hyn yw eu tuedd nhw, nawr ac yn y man, i godi eu pennau a chau eu llygaid cyn gwneud rhyw ebychiad mewn Sbaeneg. Yn union fel petai nhw, am ychydig eiliadau, yn anghofio'u hunain. Yna yn agor eu llygaid ac yn troi 'nôl at y Gymraeg, a honno'n iaith lân a gloyw.

Yn anffodus dwi ddim yn meddwl y deil y ffordd o fyw yn hir iawn eto. Yn ôl yr arwyddion, cael ei llyncu 'nôl gan yr Ariannin gaiff y Wladfa.

YR IAITH FAIN

Ar gyfer un gyfres fe fentrodd *Cefn Gwlad* i'r byd teledu Saesneg gydag *Away With Dai*. Fe ffilmiwyd chwe rhaglen i gyd, a hynny'n union ar yr un patrwm â'r gyfres Gymraeg.

Doedd gweithio'n Saesneg ddim yn brofiad newydd. Fel un a godwyd yn Llunden roedd Saesneg yn dod yn naturiol. Ac, yn dilyn y llwyddiannau eisteddfodol a arweiniodd at deithio'r byd, roedd caneuon Saesneg yn dod yn rhan angenrheidiol o'r repertoire.

A dyna'i chi waith anodd oedd ymestyn y repertoire. Yn ogystal â chanfod darnau newydd, rhai Saesneg yn eu plith, rown i'n teimlo bod angen i fi erbyn hyn gyflwyno fy mhersonoliaeth fy hunan, a hynny nawr yn y ddwy iaith. Menter fawr. Ond ychydig wnes i feddwl bryd hynny y bydde hynny yn help ymhen blynyddoedd i ddod.

Un o'r pethe cyntaf wnes i, gan y bydde hyn oll yn golygu teithio'n bellach fyth, oedd newid y car. Hwn oedd y car newydd cyntaf i fi ei brynu, Cortina 1600 GT. Ac ydw, rwy'n cofio'r rhif, LEJ 101J. Oherwydd y galw mawr a'r prysurdeb fe wnes i newid fy nghar bob blwyddyn o hynny ymlaen. Fe newidiais i'r Cortina am Austin 1800S, a'i rif oedd NEJ 864K. Roedd hwn yn globyn o gar, maint Neuadd Goffa. Fel car William Ty'n Llwyn gynt, fe basie hwn hefyd bopeth ond pwmp petrol. Fuodd hwnnw ddim gen i am flwyddyn gyfan. Fe'i newidiais ar ôl un mis ar ddeg ac roedd 93,000 ar ei gloc erbyn hynny.

Ar anterth fy ngyrfa o ganu mewn cyngherddau rown i'n gwneud tua 80 o berfformiadau bob blwyddyn. Ar ben y pwysau o deithio, rhaid cofio mai fi oedd fy asiant fy hunan. Fi oedd yn trefnu fy nyddiadur. Fi oedd yn dweud 'ie' neu 'na'. Roedd e'n dipyn o waith ac roedd rhaid cadw i fyny â'r ymarfer. Mae'r llais yr un fath â dawn unrhyw gampwr arall. Os ydi chi'n rhedwr, yn focsiwr, yn chwaraewr golff neu'n offerynnwr mewn cerddorfa mae'n rhaid ymarfer. Rhaid i finne oedd dal i ymarfer fy llais.

Yn y cyfamser roedd Eiluned Douglas Williams, neu Eiluned o Lŷn, wedi cychwyn fy hyfforddi. Iddi hi mae llawer o'r diolch am fy llwyddiant ar y Rhuban Glas gan mai hi, ar ôl marwolaeth Ifan Maldwyn, oedd yn dysgu'r caneuon i fi. Fe fyddwn i'n mynd i Bennant, Dolgellau ddwywaith yr wythnos i ddysgu'r caneuon gydag Eiluned. Yna fe fyddwn i'n dal i fynd fyny bob dydd Sul at Colin Jones i'r Rhos.

Yn y cyngherddau fe fydde gwahanol gyfeilyddion ac felly roedd rhaid ymdopi â hynny. Fe all y berthynas rhwng y canwr a'r cyfeilydd fod yn bwysig iawn, fel yn hanes y cyflwynydd a'r cyfarwyddwr ym myd teledu. Fe fues i'n ffodus o fod wrth draed Eiluned a Colin, dau o'r cyfeilyddion gorau fu yng Nghymru erioed. Fe fydde nhw'n adeiladu'r perfformiad lleisiol ac os oedd yna fannau lle'r own i braidd yn sigledig ac yn dangos diffyg hyder, fe fydde nhw'n helpu. Fe fedra'i ddweud heb flewyn ar dafod fod cyfeilydd da yn drigain y cant o'r perfformiad.

Mae'r sêr mawr yn dweud ei bod hi'n haws canu gyda cherddorfa am fod cerddorfa yn rhoi mwy o sylwedd i'ch perfformiad chi ac mae'n siŵr fod hynny'n iawn. Mae hi'n holl bwysig cael cyfeilydd da ond yn anffodus does ganddo ni ddim gormod ohonyn nhw yng Nghymru. Waeth nid chwarae'r nodau yn unig mae'r cyfeilydd wrth ddilyn y copi, ond byw'r perfformiad gyda chi. Dyna pam mae cymaint o gantorion proffesiynol â'u cyfeilyddion eu hunain bob amser.

Ymhlith rhai o'r gwahoddiadau cynnar roedd llawer yn dod oddi wrth gymdeithasau Cymraeg y tu allan i Gymru. Mae'n siŵr eu bod nhw'n dilyn rhestr enillwyr yr eisteddfodau bob blwyddyn er mwyn cael hyd i enwau ar gyfer eu cyngherddau blynyddol. Fe fyddwn i'n mynd i Sheffield, Leeds, Manceinion, Birmingham, Lerpwl, Llunden ac yn teithio i wledydd tramor fel Canada, y Taleithiau Unedig, Affrica ac yn y blaen a fwy-fwy fe ddeuai galw am ambell ddarn Saesneg.

O fynd i ddinasoedd a threfi mawr fe fydde'r gwahanol gynulleidfaoedd yn gwerthfawrogi'r ffraethineb cefn gwlad. Roedd mor wahanol i'r hyn roedden nhw wedi arfer ag e. Fe ddes i ddeall eu bod nhw'n hoffi rhyw stori fach yn awr ac yn y man a fe wnes i fabwysiadu fy steil fy hun drwy ddod â stori ddoniol am yn ail â chân. Rhyw glownio wedyn wrth ganu deuawdau ysgafn gyda hwn a'r llall, yn enwedig wrth ganu'r 'Gendarmes'. Gwneud lleisiau doniol ac ystumiau digri, a'r gynulleidfa wrth eu bodd.

Roedd hyn yn arbennig o lwyddiannus pan fyddwn i'n siario'r llwyfan gyda merch. Rown i'n canu unwaith pan oedd Beti Lewis-Fisher yn cyfeilio i Nansi Richards a fi yn San Clêr. Roedd Nansi a fi yn canu 'Hywel a Blodwen' ac roedd y copi braidd yn hen ac yn fregus. O ran diawlineb fe wthiais i'r dudalen olaf i mhoced a rhoi'r gweddill i Beti. Dyma Beti'n cychwyn ac yn chwarae'n wych fel arfer ond ar ddiwedd yr hyn o gopi oedd ganddi dyma hi ar ei thraed. 'Does dim miwsig,' medde hi mewn panig. 'Does dim miwsig.' A dyma finne'n mynd i 'mhoced a phasio'r dudalen olaf iddi. Roedd y gynulleidfa yn eu dyblau a Beti'n goch fel twrci ac yn codi ei dwrn arna'i a gweiddi, 'Y cythrel bach!'.

Fe ges i'r fraint o ganu gyda nifer fawr o gantorion, yn Gymraeg a Saesneg. Cantorion Cymru bron i gyd ac fe gawn i'r fraint o ganu gyda chantorion proffesiynol. Fe ddeuai gwahoddiad i ganu mewn oratorios ac mewn operâu bychain ar hyd a lled Cymru, llawer o'r rhain yn Saesneg. Mae 'na gymdeithas operatig yn Aberystwyth a fe ges i wahoddiad i chwarae rhan Rudolfo yn *La Boheme* gyda rheiny, ac yn y *Beggar's Opera* hefyd.

Fe ges i lawer iawn o hwyl yn y *Beggar's Opera*. Y diweddar Alwyn Jones, un o drefnyddion addysg y sir bryd hynny oedd yn cyfarwyddo. Fe ddaeth yn enwog wedyn wrth chwarae rhan y Cynghorydd Gwyther yn *Pobol y Cwm*. Roedd Alwyn wedi cynhyrchu llawer iawn o ddramâu. Ei frawd, Gwynn Hughes Jones oedd trefnydd drama'r sir ac, o sôn am Gwynn, fe fu e'n gymorth mawr i fi pan ddechreuais i ym myd cyngherddau.

'Diawl,' medde fe unwaith, 'fe ddylet ti, Dai, ddysgu cerdded ar y llwyfan. Rwyt ti'n cerdded gyda dy ben lawr a dy din 'nôl. Mae e'n fater o *"mind my head, my arse is coming"*.'

Rown i'n rhan o'r cast yn y pasiant gynhyrchodd Gwynn yn Eisteddfod Genedlaethol Aberteifi, yn chwarae un o'r prif rannau. Dyna'r tro cyntaf i fi ganu cerdd dant ac fe wnes i fwynhau'r profiad yn fawr.

Beth bynnag, Alwyn oedd yn cynhyrchu'r *Beggar's Opera*. Filtch oedd y cymeriad own i'n ei chwarae. Richard Rees neu Dic, arwr a ffrind agosaf, oedd MacHeath, lleidr pen ffordd, a Filtch oedd ei was bach. Fe ddaeth hi'n ymarfer olaf, a phawb yn eu gwisgoedd priodol a'u colur. Ar ganol yr ymarfer fe wnes i ddiflannu. Mae'n debyg i Alwyn fod yn chwilio amdana i gan weiddi, 'Filtch, Filtch, ble wyt ti'r diawl bach?'

'Sorri, Alwyn,' medde Dic Rees, 'ond mae e' wedi mynd adre i odro.'

A dyna beth own i wedi'i wneud. Rown i'n gyrru adre drwy Lanilar fel oedd pobol yn mynd i'r capel a finne'n pasio wedi fy mheintio'n ddu ac yn gwisgo dillad carpiog. Roedden nhw'n methu deall pwy oedd yn mynd heibio yng nghar Dai Berthlwyd. Pan es i lawr i'r cae i nôl y gwartheg fe aeth pethe'n waeth. Y fuwch Jersi oedd y gyntaf wrth y llidiart yn ôl ei harfer, ond pan welodd hi fi fe redodd hi bant fel petai holl gŵn y fall wrth ei thin hi a ddaeth hi ddim nôl tan y bore wedyn.

Yn yr un opera roedd Dic, mewn un olygfa, wedi'i ddal. Dyna lle'r oedd e', rhaff am ei wddf, yn sefyll ar ben bocs ar fin cael ei grogi. Yna rown i fod i ddod mewn ar y funud olaf a dweud, yn wylaidd iawn, '*My heart grieves for you, Captain.*'

Fedrwn i ddim cofio'r geiriau. Hyd yn oed petai rhywun yn bygwth fy saethu, fedrwn i ddim cofio. I mewn a fi a sefyll o'i flaen a gwneud fy ngorau i gofio, ond methu. Yr hyn ddwedes i oedd, '*All the best, Captain.*'

Roedd y gynulleidfa yn ei dagrau a Dic yn ceisio dal wyneb syth. Wedi'r cyfan, does neb yn chwerthin pan mae ar fin cael ei grogi ond, diolch i fi, fe wnaeth Dic.

Yn act olaf *La Boheme* wedyn gyda chwmni opera'r coleg, fi oedd yn actio Rudolfo a'r soprano Anelma Jones o Dywyn yn chwarae rhan Mimi. Dyna lle'r oedd hi'n marw yn fy mreichiau i, wedi rhyw hanner llewygu. Yr hyn own i fod i ganu oedd '*O God, Mimi...!*' Yr Athro Ian Parrot oedd yn arwain yn yr ymarfer olaf o flaen y gerddorfa a dyma fi'n cydio yn Anelma ac yn canu, '*O Christ, Mimi...!*'

'*It's supposed to be "O God"!*' medde Ian Parrot.

'*Same family,*' medde finne.

Dyna'i chi'r *Meseia* wedyn. Fe berfformiais i yn fy *Meseia* cyntaf lawr yn Rhisca a'r Maestro ei hun, Glynne Jones, Pendyrus, yn arwain. Profiad mawr arall.

Felly, erbyn i ni gychwyn ar gyfres Saesneg o *Cefn Gwlad*, roedd gen i gryn brofiad o berfformio yn Saesneg. Bu *Away With Dai* yn boblogaidd tu hwnt. Ond yn anffodus fe ddaeth hi'n amlwg nad oedd

ganddon ni'r amser i saethu dwy gyfres ochr yn ochr.
Felly fe gafodd y gyfres Saesneg lonydd. Ond rwy'n dal
yn siŵr fod yna agoriad i'r math yma o raglen yn Lloegr
yn ogystal ac i'r di-Gymraeg yma yng Nghymru.

Yn *Away With Dai*, un o'r cymeriadau wnaethon ni ei
ddefnyddio oedd John Angus McCleod, Albanwr o
Killin yn Swydd Perth, ger pen pellaf Loch Tay ac yng
nghysgod mynydd Ben Lawers, ardal enwog am bysgota
brithyll ac eog. Fe wnaethon ni ei ffilmio yn ei holl
ogoniant, yn ei gilt a'i het mynd-a-dod, mewn treialon
cŵn defaid. Roedd e'n arbenigwr yn y maes hwnnw.

Un o'r pethe mwyaf cofiadwy wnaethon ni gyda fe
oedd saethu carw. Roedd y senario i ddigwydd mewn
parc ceirw mawr lle bydde digon o'r creaduriaid i'w
gweld yn y cefndir, hynny er mwyn creu lluniau da.
Ond, petai'r gwylwyr ond yn gwybod, esgus oedd y
cyfan. Yr hyn wnaethon ni oedd defnyddio carw a oedd
eisoes wedi ei ladd. Fe'i tynnwyd allan o rewgell, carw
cyfan wedi'i hen ladd a'i ddiberfeddu. Roedd e'n globyn
o greadur deunaw stôn oedd wedi rhewi ers deuddydd
nes ei fod mor stiff â phechod. Fe gafodd ei osod ar ei
hyd ar y borfa, ar gyfer y camera, a chael John Angus i
esgus ei stelcio'n llechwraidd. Roedd e'n stelciwr ceirw
heb ei ail ond wnaeth e' erioed o'r blaen stelcio carw
oedd yn farw. Y tro hwn, ei ddawn fel actor oedd ei
angen.

Fe fu ganddo hefyd ran bwysig yn y dasg o osod y
carw fel ei fod e'n ymddangos yn naturiol, hynny yw, yn
edrych fel carw byw o flaen y camera. Yn gynta fe
wnaethon ni wasgu ei goesau at ei gilydd ond wrth i ni
wneud hynny, fe ddisgynnodd ei dafod mas. Dyma godi
un o'i goesau ôl, a hynny'n achosi i'r creadur agor ei
lygaid. Roedd y dyn camera'n chwerthin cymaint nes ei
fod bron yn rhy wan i filmio.

O'r diwedd fe lwyddwyd i godi'r carw ar ei draed ond
yna, fe blygodd. Fe fu'n rhaid i ni glymu rhaff am ei

goesau tra bod John Angus yn ei godi fe ar ei gefn fel petai newydd saethu'r creadur, druan. Yn anffodus, roedd yno ychydig o lechwedd ac wrth i John geisio actio rhan yr heliwr llwyddiannus, a ninnau'n dal i chwerthin nes oedden ni'n wan, fe slipiodd John, a dyma'i sodlau fe a charnau'r carw yn llithro lawr y banc. A dyma lais John Angus yn taranu dros y cyfan, *'Have you ever seen such a bloody stag in your life?'*

Na, wnaethon ni ddim lladd carw'r diwrnod hwnnw. Ond fe wnaethon ni ladd ein hunain yn chwerthin. Fu'r ymarferiad ddim yn ofer gan i ni ffilmio John Angus yn ei gynefin, a chael ganddo fe hanesion am hela ac am y bywyd cefn gwlad yn gyffredinol. Roedd wedi bod yn giper am flynyddoedd gyda theulu W. D. Wills, y barwn tybaco enwog.

Un arall wnaethon ni ffilmio yn y gyfres oedd Ernest Naish o Gwm Pennant, tad yr offerynwraig enwog Bronwen Naish. Hen forwr oedd e' ac yn gredwr cryf mewn plannu coed a hefyd fridio coed o hadau. Coed Eryri oedd ei enw ar y cynllun ac roedd ganddo fe filoedd ar filoedd o goed bach wedi'u plannu.

Un arall o'i fentrau oedd cadw defaid o wahanol fridiau a lliwiau fel y Torwen a'r Duon a Defaid Cymreig. Wedyn fe fydde fe'n cneifio'r gwlân, yn ei nyddu ac o'r deunydd gorffenedig fe fydde fe'n gwau sanau a chardigans.

Er nad oedd e'n fardd, ymhyfrydai'n y ffaith ei fod e'n cyfieithu barddoniaeth Gymraeg, cerddi fel 'Cwm Pennant'. Teimlad rhyfedd iawn oedd ei glywed e'n adrodd y clasuron hyn yn Saesneg.

Fe wnaeth fy nghludo o le i le mewn hen fen fawr goch, hen fen post gyda'r cŵn yn y cefn. Yn wir, roedd y cŵn gystal â bod yn byw yn y fen. Pob tro y bydde Ernest yn fy ngwahodd i mewn i'r fen fe fydde fe'n dweud *'Come in to my sweetly smelling van'*. Roedd y gair *smelling* yn addas ond wn i ddim am y *sweetly*.

*Hob y deri dando – Jac
Arthur yn syllu ar weddillion
Blodwen yr Hwch.*

*Triawd y buarth: Jac Arthur,
Blodwen yr hwch a finne.*

Yng nghwmni Trebor Evans yn y Brithdir, clamp o gymeriad.

Defnyddio'r motor-beic Gwyddelig gyda Treb.

Allan ar y bryniau yng nghwmni Roger Davies, Hafdre, Llanwrtyd.

Gyda John Angus McLeod a'r carw a saethwyd ddwywaith.

Y dyn trycs, John Pengeulan, Llanuwchllyn sydd â busnes cario glo, blawd a stoc.

Wmffra'r Hendre gyda Del yr ast fach a'r criw ffilmio.

Y cerbyd perffaith i ffermwr yng nghefn gwlad Cymru – un o danciau McGregor.

Yng nghwmni Emrys Douch, a sychodd fwrdd y gegin â'i gap.

Ceisio mynd ar gefn un o geffylau Spens – a methu.

Gyda Brian Griffith, y gof o Frynaman sydd hefyd yn arbenigwr ar wella nam ar garnau ceffylau.

Seibiant yng nghwmni cŵn Gareth Fôn, Is-lywydd Undeb Amaethwyr Cymru.

Ar fferm Gareth Fôn.

Braint fu cael ffilmio Elinor Williams, chwaer y cerddor Meirion Williams.

Gyda Magi Mull a'r fenyw fach a gariai'r post ar Ynys Iona.

Golygfeydd fel hyn sy'n cyfrannu at apêl Cefn Gwlad *– Huw Cwmffernol a'i gi yn croesi'r nant ger Pennal.*

Paratoi i Ddilyn y Wedd mewn cystadleuaeth aredig.

Yn Sioe Peterborough gyda thri dyn ceffyl. Dim ond Cymry fedren nhw fod.

Dau o hogiau Brychyni yn dangos un o'r adeiladau.

Golygfa o un o'r rhaglenni cynnar – y diweddar Maude Jones, Caeberllan ger Tywyn yn paratoi at gorddi.

Teulu Plas Newydd, Llwyndyrus. Hon oedd y rhaglen gyntaf erioed i mi ei golygu.

Yng nghwmni plant Pantycelyn, cartre'r Pêr Ganiedydd.

Teulu Pantycelyn y tu allan i'w cartref lle trigai prif emynydd Cymru.

Gyda theulu mawr Brychyni, yn cynnwys deg o blant, ar glos y fferm.

Gyda Richard ap Rhys Owen o Ganolfan Milfeddygaeth Efyrnwy, awdurdod byd-eang ar iechyd ceffylau.

Adre yng nghwmni un o'r cesyg a'i hebol.

Hamddena yng nghwmni'r tad a'r mab ar dir Hendre Cennin, Eifionydd.
John Eifion a'i dad Melfyn.

Hen ŷd y wlad – brawd a chwaer – y diweddar Huw a Catrin Cwmffernol.

Gyda Joni Moch, un o gymeriadau mawr Ynys Môn.

Roedd Ernest yn dipyn o foi, hen filwr a fu unwaith yn dal y teitl o Gadlywydd ac roedd e'n siarad ag acen grand. Pan fyddwn i'n cyrraedd, ei eiriau cynta fydde, *'Good morning, sir, welcome to the house'*, a hynny gyda'r fath o acen na fyddech chi'n ei chysylltu â Chwm Pennant.

Oedd, roedd Naish yn dipyn o athrylith a'i ferch, Bronwen, yn offerynwraig fedrus iawn, yn ymddangos gyda cherddorfeydd ac yn hyfforddi pobol ifainc yn y grefft. Mae hi'n arbenigo ar y bâs dwbwl. Fe safodd fel ymgeisydd etholiadol dros y Ceidwadwyr ar gyfer San Steffan a'r Cynulliad, ac mae hi'n frwd iawn dros gadwraeth a bywyd cefn gwlad.

Fe wnaethon ni ffilmio rhaglen arall i fyny yn Llanbedr, Dyffryn Clwyd gydag Ian MacGregor. Ei ddileit oedd prynu hen arfau, hen danciau, hen beiriannau rhyfel o bob math, eu hadfer nhw a'u gwerthu. Fe gyflogai dri o ddynion a mi fydde fe'n llogi adeiladau mewn ffermydd cyfagos ar gyfer storio'r casgliad. Yn wir, fe ges i'r cyfle i yrru tanciau ar hyd caeau ger Rhuthun, tanciau rhyfel anferth.

Dyn cymharol ifanc oedd e' ar y pryd. Fe ddechreuodd drwy lunio wagenni ceffylau, gan brynu'r coed oddi ar gwmni o ochrau Lerpwl ond fe newidiodd gyfeiriad wrth fynd ati i brynu'r hen beiriannau rhyfel yma.

Yn Peterborough wedyn fe wnaethon ni ffilmio'r sioe ceffylau gwedd ar gyfer y gyfres Saesneg. Yn wir, fe saethwyd sawl rhaglen ar geffylau gwedd. Yn un ohonyn nhw, rhaglen a gafodd ei galw yn *Dilyn y Wedd*, fe wnes i hynny'n llythrennol. Rhaglen hanner-awr oedd hi gyda William Gwyn o'r Gelli, Hirwaun a Dewi Bebb, y cyn-seren rygbi yn cyfarwyddo. Am bythefnos cyn hynny fe fues i'n mynd lawr i ardal Rhaglan i ddysgu dilyn ceffylau ar dir sofl, pâr o geffylau gwedd ac aradr, a dyna lle bues am yr wythnos gyntaf yn gwneud dim byd ond ymarfer. Rown i'n stiff, y cyhyrau wedi cloi. Un prynhawn fe drawais i garreg a oedd reit o flaen swch yr aradr. Fe gododd cyrn yr aradr ac fe godais innau i fyny i'r awyr, yn union fel petai El Bandito wedi fy nhaflu i allan o'r sgwâr reslo, a ble ddisgynnais i ond ochr yn ochr â'r ddwy gaseg. Fe rois i'r gorau iddi am y prynhawn.

Yr wythnos wedyn rown i yn Ymryson Aredig Cymru ar fferm Pen-y-coed, yn ochrau Caerdydd. Roedd yno filoedd o bobol, yn wir, fe wnawn i amcangyfrif fod yno gan mil. Roedd pedwar cae yn cael eu haredig ac rwy'n siŵr fod nawdeg o'r can mil wedi dod i 'ngweld i yn gwneud ffŵl o'n hunan. Fe ddois i yn drydydd allan o bump. Doeddwn i ddim yn ddrwg i gyd.

Petai ni'n ffilmio rhaglen Gymraeg yn Peterborough, fe fydde hi'n anodd canfod digon o Gymry Cymraeg i lenwi rhaglen heb ail-ddefnyddio pobol own i wedi eu holi o'r blaen, ail-ddefnyddio hen wynebau, fel petai. Ond, o ffilmio rhaglen Saesneg, roedd ganddon ni ddigon o wahanol bobol a'r rheiny'n edrych yn dda, yn edrych y part yn eu britsh-a-legins ac ati. Un broblem, hwyrach, oedd yr acenion. Roedd rhai ohonynt o Ogledd Lloegr ac eraill o Ddyfnaint ac roedd hi'n anodd deall eu tafodiaith nhw, a nhw hefyd, mi greda i, yn cael trafferth i ddeall ei gilydd, rhyw siarad yn ei gyddfau, fel petai.

Dim ond am un gyfres wnaeth y fenter Saesneg bara, ond fel y dwedes i rwy'n dal yn siŵr fod yna le i'r fath gyfres. Mae yna le i raglenni Saesneg fel hyn ar yr amod eu bod nhw'n rhaglenni Saesneg sy'n gwbwl Gymreig eu natur. Ond amser oedd y bwgan.

TRINDOD Y LLWYDDIANT

Yn aml fe fydd pobol yn gofyn beth yw cyfrinach llwyddiant *Cefn Gwlad*. Mae'r ateb yn un triphlyg – cyfuniad o leoliadau trawiadol, digwyddiadau diddorol a chymeriadau gwreiddiol. Y tri hyn, a'r mwyaf o'r rhai hyn yw'r cymeriadau.

Weithiau bydd y tair elfen yn cyfuno'n naturiol, fel y rhaglen honno ar Soar y Mynydd. Fel lleoliad, mae'n anodd curo ardal Soar, yn yr unigrwydd ar y mynydd rhwng Tregaron a'r Rhandir Mwyn. Y digwyddiad oedd cyfarfod diolchgarwch ola'r ganrif ac, wrth gwrs, roedd yno gymeriadau.

Rwy'n cofio mynd i Soar y Mynydd pan oeddwn yn gwneud rhaglen ar Fois Nantllwyd. Nid *Cefn Gwlad* oedd y rhaglen honno ond rown i'n gysylltiedig â hi. Mae teulu Nantllwyd wedi cael eu cysylltu â Soar erioed, ynghyd ag eraill o bobol y mynyddoedd, pobol fel John Brynambor, y bugail a lofruddiwyd yn ei gartref. Roedd e'n ddiacon yno. Y peth rhyfeddaf o ran ffilmio'r tro cyntaf hwnnw oedd yr angen i ni fynd â pheiriant cynhyrchu trydan gyda ni. Daeth arbenigwr trydan aton ni yr holl ffordd o Fanceinion. Fe ofynnodd am y ffordd orau adre heb fynd 'nôl drwy Dregaron a chynghorais ef i fynd drwy Lanwrtyd, ond fe deimlai e' fod yna ffordd well. Fe aeth lawr i riw Llanercharfan, rhiw aruthrol o serth. Pan welais i fe ymhen tua mis doedd ganddo ddim atgofion rhy dda am y capel bach. 'Fe ddylech chi weddïo deirgwaith cyn mynd yno a theirgwaith cyn dod oddi yno,' medde fe.

Y tro cynta i ni ffilmio yno, y Parchedig Brifardd W. J. Gruffydd oedd yn pregethu. Gan ei bod hi'n rhaglen a oedd i'w recordio, roedd e' am godi pwnc cymharol agored gan bregethu am hanes Soar ei hun a'r ardal. Roedd W. J. newydd gychwyn sôn am hanes yr achos pan ddaeth oen bach i'r fynedfa, oen bach wedi colli ei fam. Mi frefodd yr oen bach ac fe gododd W. J. ei destun o'r fref honno. Dyna un o'r pregethau mwyaf cofiadwy glywais i erioed. Yn syml, i'r pwynt ac yn gafael.

O sôn am Soar rwy'n cofio am Bryn o'r Bryn, canwr poblogaidd iawn oedd yn gyrru lori laeth Hufenfa Bodfari yn Llandyrnog, yng nghysgod Moelfamau. Un bach oedd Bryn, bach ond drygionus. Daeth ef a Wendy, ei wraig, i aros gyda ni am benwythnos felly bant â Bryn a minnau i Soar.

Welais i erioed yrrwr tebyg i Bryn. Mae unrhyw un sydd wedi teithio o sgwâr Tregaron, lle mae gwesty'r Talbot, i fyny am Soar yn gwybod y fath ffordd ydi hi. Gyda llaw, pan ofynnwyd i un o ffrindiau Bois Nantllwyd ble oedd Tregaron, ei ateb oedd: 'Jyst y tu fas i'r Talbot.'

Fyny â ni heibio i gartre Ifan Gruffudd, y diddanwr, tuag at Gwm Berwyn. Finne'n rhybuddio Bryn i gymryd pwyll gan ddweud wrtho pe deuai rhywun i gwrdd ag e', y byddai ei gar yn cael ei wasgu fel consertina. Dyma gyrraedd y Diffwys lle mae yna dro peryglus, a dibyn yn disgyn yn syth lawr i'r nant sy'n cael ei adnabod yn lleol fe Tro Pwll Twm.

Wedi cyrraedd Soar cawsom de yn Nantllwyd, lle mae un o'r byrddau bwyd enwocaf yng Nghmru. Mae'n rhaid fod pawb sy' wedi bod yn Soar wedi eistedd rywbryd wrth fwrdd Nantllwyd. Yno roedd John yn torri'r bara a'r gacen, llwyth o fwyd fel petai e'n paratoi ar gyfer holl frenhinoedd y byd. Welais i erioed neb yn llwytho cymaint o jam ar ei fara â Bryn o'r Bryn. Wedyn, adre â ni gan glebran yn llawn hwyl. Dyma fynd rownd i dro Ffrwd a fyny i Riw Nantymaen. Dod wedyn i olwg Diffwys, a'r car yn mynd fel cerbyd Jehu, a dyma ddod i Dro Pwll Twm! Wrth i ni gyrraedd dyma Bryn yn dechrau siglo yn ei sedd, ei ben yn plygu ymlaen a'i dafod mas. Fe ddechreuodd siarad yn dew fel dyn wedi cael ffit. Ond, diolch byth, tynnu fy nghoes i oedd y cythraul.

Cymeriad arbennig iawn y buom yn ei ffilmio oedd Spens Pugh o Dregeiriog yn Nyffryn Ceiriog, cymeriad cwbwl unigryw ac yfwr wisgi chwedlonol. Roedd rhai yn dweud y bydde Sbens, ar ôl noson fawr, yn gwneud pi-pi yn y cae cyn mynd i'r tŷ. Wnâi dail poethion na dail tafol byth dyfu yn y fan honno wedyn. Oedd, roedd Spens yn yfed digon o wisgi i ladd chwyn.

Roedd Spens yn rhedeg busnes merlota ac yn berchen ar tua ugain o ferlod, yn Piebalds a Skewbalds a cheffylau crand, glas yn goronau i gyd. Roedd yn rhaid i fi gael caseg las. Ond roedd hi'n gaseg uffernol o uchel a finne'n gorfod mynd i ben wal er mwyn ei chyrraedd hi. Roedd yna sawdl i'r wal oedd yn golygu fod cryn bellter, tua pedair troedfedd, rhwng y gaseg a finne. Fe neidiais tuag at y cyfrwy ond, yn anffodus, fe neidiais drosto a thros y ceffyl gan lanio ar fy nhin.

Fe fydde pob math o bobol yn galw gyda Spens ar gyfer merlota, hyd yn oed garcharorion o Walton yn Lerpwl oedd yn ceisio adfer eu bywydau. Roedd ganddo deithiau wedi eu trefnu ar hyd Dyffryn Ceiriog, gan gynnwys ymweliad â Phen-y-bryn, cartre'r bardd Ceiriog ac i fyny am Lanarmon wedyn a'r Berwyn. Gadael yn y bore a chyrraedd 'nôl ganol y prynhawn.

Fe fydde Spens yn teithio mewn trap-a-phoni. Gan iddo gael strôc fedre fe ddim marchogaeth, felly y trap oedd yr unig ateb. Fe fydde tua ugain o leianod yn dod ato i farchogaeth bob blwyddyn a dyna i chi olygfa, ugain o leianod yn eu lifrai ar gefn y ceffylau a gwên ar wyneb pob un wrth i'r ceffylau drotian. Fe fydden nhw'n gwisgo'n llac er mwyn peidio dangos eu siâp. Roedd llain addas ar gyfer carlamu ar hyd lan yr afon a trodd Spens a dweud wrthyn nhw ei bod hi'n amser am dipyn o T.W. Ar ddiwedd y daith gofynnodd yr Uchel Fam beth oedd T.W. Atebodd Spens yn hamddenol, 'Tit-wobble'. Bob tro y deuai'r Uchel Fam a'r lleianod i farchogaeth wedyn bydde'n rhybuddio Spens rhag anghofio'r T.W.

Unwaith fe aeth y criw draw i Ynys Mull, un o Ynysoedd Heledd neu'r Hebrides, i ffilmio merch o Chwilog, sydd heb fod ymhell o Rydygwystl. Merch ffermwr oedd hi, Magi, a gafodd ei bedyddio ganddon ni fel Magi Mull. Roedd 'na Gymro yn cadw becws yno hefyd, yn Tobermoray, Wil a'i wraig o Gaernarfon, a oedd yn dosbarthu bara dros yr holl ynys.

Ffisiotherapydd oedd Magi, wedi mynd i Lunden fel nyrs a phriodi morwr o Dde Lloegr. Pan aethant i Mull ar eu gwyliau fe gwympon nhw mewn cariad â'r ynys a rhentu fferm yno lle'r oedden nhw'n godro ychydig o fuchod ac yn cadw defaid. Hynny yw, fferm gymysg. I gael dau ben llinyn ynghyd roedd gŵr Magi yn gyrru tacsi ac yn gweithredu fel plismon, a Magi'n dal i weithio fel ffisiotherapydd ac yn gwerthu yswiriant. Roedd yn gweithio ar Ynys Iona yn ogystal â Mull a fanno, gyda llaw, y claddwyd John Smith, arweinydd y Blaid Lafur.

Fe aethon ni, un bore digon cas, ar y cwch o Mull i Iona i ffilmio Magi yn casglu yswiriant ar feic, finne'n ei dilyn ar feic arall. Yno hefyd fe wnaethon ni gyfarfod â menyw hynod iawn oedd yn cludo'r post, eto ar feic, yn ogystal â chadw tyddyn. Fe fydde hi yn mydylu yn yr hen ddull er ei bod hi yn ei nawdegau ac roedd hi yn smocio cetyn. Roedd Magi wedi fy rhybuddio, os own i am wneud ffrindiau â'r hen wraig, am fynd â photel o Grouse iddi. A fe wnes. Mi fynnodd yr hen wraig ein bod ni'n cael *a wee dram* cyn i ni adael. Os mai *wee dram* ges i, hoffwn i ddim yfed un mawr!

Roedd Magi yn ymarfer ei therapi ymhlith yr ynyswyr, llawer ohonyn nhw'n bysgotwyr ac yn wragedd i bysgotwyr, ac yn cadw buchesi Highland. Os cofia i'n iawn, buwch o Mull oedd yn dal y record bris am fuwch Highland. Fe fydde nifer o'r tyddynwyr yn gwerthu llaeth hefyd ac os bydde buwch yn dioddef o'r masteitus, neu gargêt, fe fydden nhw'n galw am Magi. Rown nhw'n credu fod therapi radioleg Magi yn gwella'r creaduriaid. Rhwng yr holl waith, er eu bod nhw'n codi tri o blant, roedd Magi a'i gŵr yn dod i ben yn rhyfeddol.

Roedd ar Magi hiraeth mawr am Gymru ac fe fydde'i rhieni yn danfon tapiau o *Cefn Gwlad* iddi. Erbyn hyn, wrth gwrs, fe all Magi ac eraill drwy Ewrop wylio'r gyfres ar deledu digidol.

Rhaglen arall wnaethon ni ei ffilmio oedd Becws Glanrhyd yn Llanaelhaearn, ar y ffordd rhwng Pwllheli a Chaernarfon, gyda Jean a Gwilym a'r staff. Dyma'i chi beth oedd busnes teuluol. Roeddent yn cyflogi gweithwyr lleol; ffermwyr lleol; meibion a merched ffermydd yn gweithio yn y siop ac yn gyrru faniau o gwmpas y lle ac yn crasu bara ar gyfer Pen Llŷn i gyd, bron iawn. Fe gâi'r torthau eu gadael mewn tuniau ar ben lonydd, mewn biniau sbwriel glân neu eu gadael yn y tai. Doedd neb yn cloi eu drysau.

Y peth gwaetha am ffilmio Becws Glanrhyd oedd gorfod mynd i'r gwely yn y gwesty tua saith o'r gloch yr hwyr er mwyn codi erbyn hanner awr wedi dau i weld y bara a'r cacennau'n cael eu gwneud. Jean, gyda llaw, oedd un o sylfaenwyr Y Terfeliaid, sef cymdeithas cefnogwyr Bryn Terfel.

Yn un o faniau Becws Glanrhyd own i, yn cario bara, pan gwrddais i â Wil Llannor a gweld ei fod e'n glamp o gymeriad. Roedd e wedi gyrru cenedlaethau o blant bach i'r ysgol a rheiny'n meddwl y byd ohono fe. Fe fydde wrth ei fodd yn canu gyda'r plant ac un o'r caneuon oedd:

Hei-ho, hei-ho, ni'n mynd i Mecsicô
I weld y Cwîn yn crafu'i thin,
Hei-ho, hei-ho, hei-ho, hei-ho.

Fe glywais i wedyn fod plant mewn ysgol fach arbennig yn Sir Feirionnydd, ar y bore dydd Llun wedi i'r rhaglen gael ei dangos ar nos Wener, yn canu'r gân ar y iard.

Cymeriad cofiadwy arall oedd pawb yn ei adnabod oedd Twm Jim o'r Bala. Roedd e'n cadw defaid Balwen, defaid Torwen a hefyd ddefaid Badger. Mae'n rhaid gen i fod Twm Jim wedi bod ymhob sioe yng Nghymru, fydde hi ddim yn sioe hebddo. Mi fydde'n cystadlu ar gneifio â gwellaif ac ef oedd un o'r rhai cyntaf gyda'r Bwrdd Hyfforddi Amaethyddol i ddysgu pobol ifainc i gneifio â pheiriant. Roedd e'n gwerthu gwellt a gwerthu gwair ac fe fydde'n trefnu arwerthiant blynyddol, prynu pob math o rwtsh ar hyd a lled y wlad a'u gwerthu nhw. Dic o'r Farmers' Marts fydde'r arwerthwr a doedd wiw i chi symud yn y sêl neu fe fydde Dic yn siŵr o werthu rhywbeth i chi. Erbyn diwedd y sêl yr oedden ni'n ei ffilmio fe brynais i, yn erbyn fy ewyllys, lwyth trêlyr o sinc ail-law a chwb ci, a finne ddim o'u heisiau nhw.

Fe wnes i fynd i weld Twm yn gymharol ddiweddar. Bellach mae mewn cartre'r henoed ac yn gyrru o gwmpas mewn cadair olwyn drydan, ac ar ddrws ei stafell fach dwt mae arwydd yn cyhoeddi *Hay and straw for sale*. Ac yno, yn ei stafell wely, mae'r gwellaif a'r ffon fugail yn hongian ac mae lluniau defaid yn crogi ar bob wal. Mae e'n dal i fyw bywyd llawn. Wrth fynd i Rasys Cŵn Defaid y Byd yn Y Bala yn ddiweddar rown i'n gyrru i'r maes ar y bore dydd Mercher ac yn methu deall pam oedd y loris, a oedd wedi cyrraedd o bell ac agos, mor araf yn symud. Y rheswm am eu harafwch oedd fod Twm yn eu dal nhw 'nôl yn ei gadair drydan.

Rwy'n cofio gwneud rhaglen wedyn gyda Dic Tuhwnt i'r Afon ac yn meddwl ar y pryd mai enw gwneud oedd hwn. Yn ogystal â ffermio roedd ganddo fusnes hers ar gyfer angladdau a rown i'n meddwl mai dyna pam gafodd e'r enw. Roedd ganddo fe dri hers, un iddo fe, un i'r gwas ei gyrru ac un sbâr. Ond nid dyna darddiad yr enw Dic Tuhwnt i'r Afon, roedd e'n enw llythrennol. Roedd wedi ei fagu yn Rhydyclafdy, yn nhafarn Tuhwnt i'r Afon ac ar lafar gwlad, Dic Twnti oedd e'.

Roedd Dic yn ddyn ffeind iawn, dyn hawddgar a siaradwr neis. Bob tro fyddwn i'n galw chawn i ddim gadael heb fagied o datws. 'Dyma ti,' ddwedai Dic, 'dyma i ti datws braf i ti gael cofio amdana i pan fyddan nhw'n berwi.'

Roedd e' a'i wraig yn bobol capel ffyddlon ond roedd Dic hefyd yn ffan mawr o *Ar Eich Cais*, fy rhaglen radio i ar nos Sul. Fe fydde fe a'r wraig yn mynd i'r capel mewn ceir gwahanol er mwyn i Dic, a eisteddai yng nghefn y capel tra bod ei wraig yn ddiacon yn y sêt fawr, fedru gyrru adre'n syth wedi'r oedfa i wrando ar y rhaglen. Erbyn hyn mae'r hen Ddic wedi mynd tu hwnt i'r afon arall honno. Coffa da amdano.

Rhaglen arall sy'n dod i'r cof yw honno am John Bont o gwmni loris Roberts Ffestiniog, sydd hefyd yn arbenigo mewn peiriannau trwm. Roedd ganddo fe fab, John Bach, a diddordeb mawr John Bach oedd ralïo. Wrth gwrs, roedd yn rhaid i fi fynd gydag ef yn y car drwy ran o'r goedwig ac yn naturiol, rown i'n gofidio. Dyna'i chi beth oedd mynd ac, wrth gwrs, fel sy'n digwydd wrth ffilmio, roedd yn rhaid i ni ail-wneud ac ail-wneud rhai o'r digwyddiadau. Cyn hir rown i mor sâl â chi a'r canlyniad fu i'r dyn sain orfod gwisgo fy nghap a 'nghôt i, gan gymeryd arno mai fi oedd yn y car. Ie, iach yw croen pob cachgi.

Fyny wedyn i'r Bylchau ar Fynydd Hiraethog i ffilmio Harold Rhanhir. Enw'r fferm oedd Rhanhir a mi wnes i gamgymeriad anffodus. Fe ofynnes i Marian, y Cynorthwy-ydd Cynhyrchu, wrth iddi baratoi ar gyfer y ffilmio, am holi yn yr ardal am Harold Darnhir yn hytrach na Harold Rhanhir. Camgymeriad anffodus iawn wrth iddi gael ymateb amheus gan hwn a'r llall.

Hen lanc oedd Harold a chryn gymeriad. Ar yr ail fore fe ddaeth rhyw fenyw i gyfarfod â ni, ei gwallt wedi'i liwio, wedi'i gwisgo'n smart ac yn cario bag llaw. Dyma hi'n gweiddi arnon ni gan ein hysbysu nad oedd Harold adre. 'Mae o'n dal yn ei wely ar ôl i mi fod gydag o neithiwr,' medde hi, 'a mae o wedi methu â chodi.' O fynd yn nes at y fenyw dyma sylweddoli mai Harold ei hun oedd yno, wedi gwisgo dillad menyw.

Fel arfer does dim problem gyda thafodieithoedd. Pa ardal bynnag o Gymru fyddwn i'n ffilmio ynddi, mae pawb yn deall ei gilydd ond fe ges i drafferth gyda Harold. Starto'r tractor, medde fi. Cychwyn y tractor, medde fe. Fi wedyn yn ei lusgo ar y tractor i fyny'r rhiw cyn ei ryddhau i fynd lawr y rhiw ac yn gweiddi, 'Tynnwch hi i gêr.' 'Be' 'da chi'n feddwl?' 'Rhowch y lifyr lan.' 'Beth yw ystyr hynny?' 'Wel, tynnwch y lifyr lan i'w rhoid hi mewn gêr.' 'Codi'r lifyr i fyny 'dach chi'n feddwl.' Roedden ni'n meddwl yr un peth ond yn ei ddweud mewn ffordd wahanol.

Lawr i Sir Benfro wedyn, a wn i ddim am unlle tebyg am dafodiaith a digrifwch na Gogledd y sir. Mae yno ddywediadau bachog. Fe wnaethon ni ffilmio cyfres o raglenni *Pedwar Tymor* ar y Preselau, profiad bythgofiadwy. Mynd gyda'r trigolion i facsu cwrw a hela'r defaid, a didoli'r defaid wedyn yng Nghastell Martin. Fe fydden nhw'n mynd lawr yn yr Hydref a dod 'nôl yn y Gwanwyn. Wrth gwrs, fe fydde miloedd o ddefaid yno yn gymysg ac roedd yn rhaid i bob ffermwr ddidoli ei ddefaid ei hun ond doedd hynny ddim yn broblem gan fod marciau arnyn nhw, ond roedd yr ŵyn wedi eu geni lawr yno, felly fe fydde'n rhaid corlannu i fyny at bum cant ohonyn nhw a phawb yn cael amser penodedig wedyn i ddidoli eu hŵyn eu hunain.

Roedd dau frawd yno, Jimmy ac Euros o Bontcynon, Eglwyswrw, dau hen lanc yn ffermio yn yr hen ddull ond wedi cael Land Rover newydd. 'Peidiwch â dangos y *number plate* ar y ffilm, Dai,' medde un ohonyn nhw, 'rhag i bobol weld ei bod hi'n newydd.' Ar y diwrnod ola fe ges i fynd i'r garej wrth ymyl y tŷ lle'r oedd car Rover newydd fflam. 'Gan fod yr hen gamera wedi mynd, fe gei di weld hwn nawr,' medde'r llall. Doedd dim dangos y cerbydau newydd i'r byd i fod. Roedd yno hefyd hen beiriannau oedd yn edrych fel newydd, yn cynnwys hen fyrnwr McCormick 46. 'Mae hwn yn edrych yn dda,' medde fi. 'Odi, ond ma' gofyn edrych ar eu hôl nhw, tweld. Ma' nhw'n ddrud. Ma' hwn dros ei ddeugen oed.' 'A dal i fynd yn iawn, Jimmy?' 'Ydi, ond fod ei gof e'n dechre mynd. Ma' fe'n towlu ambell un allan heb ei chlymu.'

Y Vaughaniaid wedyn, oedd yn cadw gwartheg Limousin wrth ochrau Crymych. Mynd yno ganol mis Mawrth a llond lle o borfa yno. Adre yn Llanilar roedd y defaid a'r ŵyn wedi bwyta popeth a dyma ddweud hynny wrthyn nhw. 'Ti'n cadw defed, wrth gwrs. Ond Dai bach, alli di ddim cadw whisgers a siafo,' oedd yr ateb a gefais i.

Ffilmio Jenny Howells wedyn, a honno'n siarad yn ei chyfer ond, wrth i ni ei ffilmio hi yn y beudy, fe ddisgynnodd tuag yn ôl â'i choesau yn yr awyr. Oedd hi'n gofidio fod y camera yn dal i droi, a dyma hi'n dweud: 'Diawch, welsoch chi ddim o'n nicyrs i, bois?' 'Naddo,' medde un o'r criw, 'ond fe welson ni dy *chassis number* di.'

Llew Pennant Du wedyn, ffermwr oedd hefyd â busnes chwarel ac yn berchen ar lond lle o beiriannau a loris. Finne'n gofyn sut fedre fe eu fforddio nhw a'r ateb yn dod: 'O, y Brenin Mawr ar un llaw a Jones y Banc ar y llall.'

Dyma fynd ati unwaith i ffilmio Picton Jones o Lanwnnen, dyn yr ieir. Roedd e' ar fin priodi, a'i ddarpar wraig yn paratoi bwyd i ni yn Llambed, a dyna'i chi fwyd. Dyna'r unig dro erioed i fi gael sieri i frecwast. 'Nôl â ni i fferm Picton lle'r oedden ni am iddo roi dôs i'r defaid, rhyw weithgaredd addas ar gyfer ffilmio. Ond ddim ond yr wythnos gynt oedd Picton wedi'u dosio, felly doedd e' ddim am fynd i'r gost o wneud eto. Yr hyn wnaethon ni oedd dosio'r defaid â dŵr a llaeth, hanner cant ohonyn nhw.

At yr ieir a'r hwyaid a'r gwyddau wedyn, a Picton yn esbonio'r gwahanol fridiau ac yn mynd i ddangos sut oedd eu golchi nhw ar gyfer mynd i'r sioe. Ond yn gyntaf, paned yn y tŷ a'r drws led y pen ar agor. Dyma fi'n edrych o gwmpas ac yno roedd ceiliogod Rhode Island Red a'r Light Sussex a'r Black Leghorn yn pigo rownd i'r Rayburn. 'Gad nhw i fod,' medde Picton, 'mae nhw fel cathod a chŵn, mae nhw'n bwyta yn y tŷ ond mae nhw'n mynd mas i wneud eu busnes.'

Mae'r afon Teifi yn mynd drwy dir Picton a dyma fe'n esbonio pam na wnaeth e' briodi'n ifanc. Roedd yn potsian yn yr afon a dyma'r beili'n cyrraedd. Neidiodd Picton dros y ffens, 'Ond,' medde fe, 'fe wnaeth yr hen jingyls gydio yn y weier. Erbyn hyn, diolch byth, ma' popeth yn gweithio'n iawn.'

Golchi'r ceiliog Rhode Island Red oedd y gorchwyl nesaf, a hynny mewn padell o ddŵr cynnes a Fairy Liquid. Finne nawr yn golchi'r ceiliog ac yn arllwys mwy o'r stwff yma arno. Ond, fe wthiais i'r ceiliog yn rhy bell i mewn i'r badell a bu'n rhaid ei dynnu allan rhag iddo foddi a dyna'r tro cyntaf erioed i fi weld ceiliog â bybls yn dod mas o'i geg ac o'i din yr un pryd. Ystyr newydd i'r gân *'I'm forever blowing bubbles'*.

O sôn am dda pluog, fe fuon ni'n ffilmio John Roberts, Rhosybol a dyma dynnu ei goes unwaith drwy edliw iddo ei fod e'n crafu pres. 'Fedrwch chi ddim mynd â dim ohono fe gyda chi pan wnewch chi farw.' A John yn ateb: 'Dew, wn i ddim, hwyrach yr af fi â'r llyfr siec gyda fi rhag ofn.' Gweld bws gwag yn mynd heibio wedyn a gwneud rhyw sylw am y peth a John yn dweud mai dim ond mynd â'r seddi am dro oedd y gyrrwr.

Roedd ganddo fe hwyaid ardderchog a bydde'i fab yn gyrru hwyaid mewn șioeau fel *Crufts*. Roedd gan John un ffefryn, Fflori a dyma ofyn iddo fe am gael ei ffilmio, ond roedd Fflori wedi marw y dydd Gwener blaenorol. 'Biti,' medde fi. 'Arhoswch funud,' medde John, 'fe â'i i'w 'nôl hi rŵan.' Ymhen ugain munud dyma fe 'nôl gyda'r hwyaden yn ei law ac yn brwsio pridd oddi arni. Roedd e' wedi codi Fflori o'i bedd! Cafodd rhywun syniad nawr o ffilmio John yn claddu Fflori, fel petai e'n gwneud hynny am y tro cyntaf. 'Daliwch hi yn y llaw agosaf at y camera a dwedwch hanes yr hen hwyad,' medde fi. A dyna lle'r oedd e'n siarad a swingio Fflori yn ei law gerfydd ei gwddw. Ar ddiwedd y siarad fe ddymunodd ffarwel i'r hwyaden ac fe'i gollyngodd. Fe hedfanodd Fflori fel awyren drwy'r awyr a disgyn yn y bedd oedd John wedi ei dorri iddi. Yn anffodus roedd y bedd newydd wedi llenwi â dŵr. Plop! Dyma Fflorie yn disgyn yn y dŵr a John yn cyhoeddi: 'Gadewch iddi, chwadan ydi hi, fydd hi'n iawn yn y dŵr.'

Dyma glywed wedyn fod yna dipyn o gymeriad yn Nhrawsfynydd, Jac Y Wyddor, a meddwl, dyna enw ar le. Ar y ffordd fe wnes i alw gyda Gwilym Brynllefrith i ofyn iddo ble oedd Y Wyddor. Fe fyddwn i wedi bod wrth fy modd yn gwneud rhaglen ar Gwilym ond pan glywodd ei chwaer fe ddwedodd honno, 'Gwilym, waeth faint gei di am ffilmio *Cefn Gwlad*, fe gei di ddwbwl hynny gen i am beidio.'

Fe aeth ati unwaith i goncrito gerllaw'r tŷ trwy daenu

grafel dros y darn o dir roedd am ei goncrito. Yna dyma fe'n arllwys siment sych ar hyd y grafel, ei wasgar e' fel petai e'n gwasgar calch neu giwana a wedyn arllwys dŵr dros y grafel a'r siment a chymysgu'r cyfan â 'rotovator' o'r ardd. Ar ôl hynny mynd dros y cyfan â roliwr.

Ymlaen â fi i'r Wyddor i weld Jac, ac mae e'n haeddu clod. Roedd wedi bod yn yfwr trwm ac yn smocio tua cant o sigaréts y dydd ond fe roddodd y gorau i'r ddau felltith. Bydde Jac yn magu moch, i'w gwerthu yn Yr Wyddgrug, ac yn cadw'r blawd yn y parlwr am fod llygod yn y sied. Weithiau fe fydde fe'n defnyddio merlen a throl ar gyfer bwydo'r gwartheg a fe wnaethon ni ei ffilmio fe'n mynd â'r gaseg at y march yn Garreg Ddu. Dyna i chi bantomeim.

Un tro fe gafodd fenthyg trêlyr Gwilym Brynllefrith i fynd â'r moch i'r farchnad ond fe ddaeth un o swyddogion yr RSPCA ato a dweud nad oedd digon o aer yn y trêlyr i'r moch. Be wnaeth Jac oedd galw yn y siop i brynu dril drydan a bit ac fe ddriliodd filoedd o dyllau yn ochrau'r trêlyr. Pan gafodd Gwilym ei drêlyr yn ôl, fe ddywedodd wrth Jac: 'Sôn am gael digon o aer, y peth nesa gaiff y moch fydd niwmonia.'

Pan hysbysebodd Jac *A grand piano for sale* cafodd alwad ffôn yn syth o berfeddion Lloegr gan rhyw ddyn a oedd â diddordeb mawr yn y *grand piano*. Yn wir, fe drefnodd i ddod lawr i weld Jac a'r piano y diwrnod wedyn. Roedd Jac wrthi'n bwydo'r moch pan gyrhaeddodd y dyn a dyma fe'n ei arwain i'r tŷ a dangos y piano iddo, piano cwbwl gyffredin. Fe edrychodd y dyn ar y piano a gofyn ble oedd y *grand piano*. 'Hwn yw e',' medde Jac. 'Mae e'n biano crand, ond yw e'?'

Roedd Jac am brynu ci Cymreig a fe lwyddais i gael un iddo fe. Mae llawer o bobol yn defnyddio rhagddodiad wrth enwi eu cŵn. Petai'r ci yn dod o Gwm Rheidol, hwyrach mai ei enw fydde Rheidol Jac ond ci coch gafodd Jac ac fe'i bedyddiodd yn Coch Y Wyddor.

Hwyrach mai'r stori orau amdano oedd honno pan fu trafferth rhwng ficer lleol a'i wraig, stori a oedd yn dipyn o sgandal ar y pryd ac fe'i gwerthwyd i bapur newydd y *Sun*. Roedd Jac yn yfed yn y dafarn lcol pan ddechreuodd rhyw Ianc edliw iddo mai gwlad fach ddigon tila oedd Cymru. Ateb Jac oedd fod Cymru'n well gwlad nag America. Fe drodd yr Americanwr ato yn swta a dweud, *What do you mean, it's better than America? We've got a man on the moon'*. *'That's nothing,'* medde Jac, *'we've got a vicar in the Sun.'*

Rwy'n cofio hefyd ffilmio Meurig Davies yn Llansadwrn ger Llanwrda. Roedd Meurig yn ffermwr oedd yn mwynhau ffermio. Fe gododd ei dŷ ei hunan a chario llwythi o stwff yn y car, hen Morris Ital. Câi ei stopio byth a hefyd gan yr heddlu am gario gormod o lwyth ond beio'r sbrings wnâi Meurig a'r car yn gwegian o dan bwysau siment a thywod.

Roedd e'n ffermwr gwahanol i bawb. Teimlai fod tractor newydd yn rhy ddrud gan mai dim ond un cerbyd oedd e', a bod angen newid y peiriannau fyddai'n cael eu tynnu byth a hefyd. Fe deimlai fod ei ddiwrnod e'n mynd bron i gyd yn newid y peiriannau wrth gwt y tractor. Be wnaeth Meurig, yn hytrach na phrynu tractor newydd gwerth tua £20,000, oedd prynu saith hen dractor, un ar gyfer pob jobyn, gan gadw'r gwahanol beiriannau at wahanol ddyletswyddau yn barhaol wrth gwt pob tractor. 'Dim ond newid sedd sydd ei eisie,' medde fe, 'a mae hynny'n llawer haws na newid peiriannau.'

Wrth gyfeirio wedyn at y mewnlifiad, pobol o Loegr yn prynu tai, dwedodd, 'Mae nhw'n dod yma yn eu Jaguars ond mae nhw'n mynd oddi yma ar eu beics'.

Fe ystyriais i wneud rhaglen ar griw o ferched o Benllyn, i gyd, ag eithrio un, yn hen ferched. Yr hyn wnaeth fy nharo i oedd eu henwau: Marged Craig-y-tân, Hilda Cnythog Ganol a Lisi Jên Fedw'r Gôg. Mae enw ambell un yn gwneud i chi ddychmygu sut berson yw hwnnw neu honno. Ar gyfer y rhaglen *Ar Eich Cais* fe dderbyniais i lythyr wedi ei arwyddo gan Marged Craig-y-tân. Fe ddychmygais i hi fel rhyw ffrâm lori o fenyw ac mae'r enw Marged Craig-y-tân yn atgoffa rhywun o Margharita Prakatan, honno oedd yn arfer sgrechian ar raglen Clive James. Ond, o gyfarfod â Marged, dyma fi'n gweld menyw *petite* annwyl tu hwnt.

Roedd Marged erbyn hyn wedi symud lawr o Graig-y-tân, sydd yng Nghwm-pen-nantlliw ar y ffordd o Lanuwchllyn i Drawsfynydd, gyda'i brawd, Howel i'r Tŷ Mawr, ger Llanuwchllyn. Roedd hi wedi gweithio adre drwy ei hoes, yn helpu ei rhieni a'i brawd ac yn hyddysg mewn dyletswyddau ffermio. Roedd hi hefyd wedi dysgu gwaith llaw ac yn giamstar ar frodio a chrosio a gwneud sampleri di-rif. Fe fydde hi hefyd yn crasu bara a chacennau a ninnau'n cael gwledd ganddi bob dydd. Roedd hi'n werth gweld bwrdd bwyd Marged, lliain bwrdd, cwpan a soser tseina, plât bach, bara, jam neu gaws, menyn cartre, a sawl math o gacen. Finne wedyn yn cael gwersi ganddi ar goginio.

Roedd hi wedi paratoi rhyw fath ar fara cras ac fe ges i ei drio er mwyn rhoi fy marn ar sut oedd e'n blasu. Fe ddwedais ei fod e'n blasu'n debyg i grîm cracyr ac fe ddeallais ar unwaith i fi bechu. 'Mae o'n blasu dipyn yn well na chrîm cracyr,' medde Marged yn swta. Rwy'n dal i gael ambell lythyr oddi wrthi a mi fydda i'n galw i'w gweld pan fedra i.

Oherwydd y Clwy Traed a'r Genau ym 2001 fe fethon ni ffilmio *Pedwar Tymor ar y Berwyn*. Roedd yn rhaid, felly, llenwi'r amser â rhywbeth arall, pedair rhaglen awr yr un. Yr hyn wnaethon ni felly oedd saethu'r gyfres *Pedwar Cwm* – Cwm Maethlon, Cwm Bychan, Cwm Nant-yr-eira a Chwm Ŵysg. Cwm Bychan ger Llanbedr, Harlech oedd y gyntaf. Ardal hyfryd, waliau cerrig, a ffilmio yn y Gerddi Bluog a Chapel Salem a anfarwolwyd gan. Vosper. Cwm o ychydig o bobol yw Cwm Bychan, ond mae'r teuluoedd sydd yno wedi byw yn y cwm ar hyd y canrifoedd.

Mae'r ffordd i'r Gerddi Bluog y ffordd fwyaf troellog a welais i yn fy nydd erioed. Ar un o'r ffermydd roedd dwy chwaer yn byw. Roedden nhw'n siario'u hamser rhwng y fferm a thŷ yn Llanbedr ac yn gyrru i'r capel bob dydd Sul ar hyd y ffordd, oedd â phont gul yn croesi'r afon. Roedd gen i ofn ei chroesi yn y car, felly fe gerddes i drosti. Roedd ganddyn nhw gar Fiesta, a phawb yn cael hwyl o weld dwy hen ferch annwyl a direidus yn gyrru car gyda'r rhif 431 CWD.

Stori arall oedd yr hanes am gloc fferm Y Crafnant. Fe gâi'r cloc ei weindio bob nos ond, pan fu farw tad y gŵr, fe stopiodd y cloc. Fe'i weindiwyd e'n rheolaidd wedyn, yna fe fu farw tad y wraig ac fe stopiodd y cloc. Fe'i weindiwyd eto a phan fu farw perthynas agos arall, fe stopiodd y cloc. Weindiwyd byth mohono fe wedyn. Rwy'n cofio gwraig y lle yn adrodd y stori a finne'n cael y teimlad o oerni yn mynd lawr fy nghefn. Stori gofiadwy iawn.

Yng Nghwm Maethlon, yr hyn a dynnodd sylw pobol o weld y rhaglen oedd presenoldeb teuluoedd ifanc ym mhob fferm, a hynny'n edrych yn wych i'r dyfodol. Roedd y rhieni yn dal i fyw mewn bwthyn gerllaw ac yn parhau i fedru rhoi help llaw a'r hen blant bach yn cael eu codi ar y fferm.

Un peth nodweddiadol o Gwm Maethlon oedd fod llidiard ar waelod pob lôn a rhaid fydde agor a chau pob un wrth ymweld â'r ffermydd. Mae 'na enwau hyfryd ar rai ohonynt – Dysyrnant, Gwŷdd Gwion, Cae Cenach, Erw Borthor ac ati. Buom yn ffilmio yng Nghwm Nant-yr-eira hefyd, yn Sir Drefaldwyn, rhwng Llanerfyl a Llanbrynmair. Ffermydd mawr, ond bron bob un o wragedd y ffermydd yn mynd allan i weithio. Mae'r capel yn nodedig am i Iorwerth Peate weithio yno fel saer coed pan oedd e'n ifanc.

Mae Cwm Ŵysg lawr yn ardal Trecastell, rhwng Llanymddyfri a Phontsenni, ardal na fydde neb yn breuddwydio fod yna gymaint o Gymraeg ynddi. Wrth gwrs, mae'r Epynt ar un ochr, er fod hwnnw yn nwylo'r fyddin ers blynyddoedd ond mae yna Gymreictod rhyfeddol yn y cylch a Chymraeg ar aelwyd ymron bob cartref, a hwnnw'n Gymraeg da.

Cwestiwn sy'n cael ei ofyn i fi'n aml yw pa raglen sy'n sefyll allan yn fy nghof. Yr ateb yw fod yna lawer. Y rhaglen ar y bardd a'r ffermwr Dafydd Wyn Jones, Blaenplwyf ym Mro Ddyfi, er enghraifft. Fe fydde fe'n cyfansoddi englynion a thelynegion wrth i ni ei ffilmio. Dyn gwâr.

Un arall wedyn a ffilmiwyd yn ddiweddar oedd Trefor Edwards, Y Parc, un o'r llefarwyr gorau a glywyd erioed a chyn-athro Cymraeg Ysgol Y Berwyn, Y Bala. Canwr penillion gwych hefyd, wrth gwrs. Mae nifer fawr o bartïon wedi ennill prif wobrau'r Genedlaethol, diolch i'w hyfforddiant ef.

Ond ar wahân i bobl sy'n amlwg yn genedlaethol, mae *Cefn Gwlad* hefyd wedi rhoi sylw i bobol sydd ddim yn amlwg y tu allan i'w milltir sgwâr, pobl fel Joni Moch, er enghraifft. Fe drodd Joni ei fen drosodd am dri o'r gloch un bore ac fe gysgodd yn y fan a'r lle. Daeth yr heddlu a'r canlyniad fu ymddangosiad llys. Yno fe ofynnwyd i Joni pam oedd e'n cysgu yn y fen am dri o'r gloch y bore. Ei ateb oedd: 'Beth arall wnewch chi am dri o'r gloch y bore?'

John Ty'n Llwyn wedyn o Langoed, ger Biwmares, yn mynd i'r mart yn Llangefni i brynu llo. Fe ddechreuodd gerdded y llo adre. Roedd siwrne hir o'i flaen, felly fe gaeodd y llo mewn ciosg teliffon a dechrau bodio. Fe stopiodd car a dyma John yn gofyn i'r gyrrwr oedi am ychydig. Llusgodd John y llo o'r ciosg i'r sedd ôl, eisteddodd yntau yn y sedd flaen a bant â nhw!

Mae'n rhaid cyfeirio hefyd at Treb, Y Gwanas yng Nghwm Hafod Oer, Y Brithdir. Contractor yw Treb sy'n gwneud llawer o waith ar y ffyrdd a mi ges i gyfle i weithio dril niwmatic ganddo, neu'r moto-beic Gwyddelig. Dyma hi'n dod yn fater o dalu i Treb a chafwyd llythyr o ddiolch am bopeth, yn arbennig am y siec. 'Hyfryd oedd derbyn y *deposit*,' medde Treb. Dyma fe'n derbyn taliad arall, a llythyr eto fyth yn holi a fydde hyn yn dâl blynyddol.

Cymeriad oedd Jac Arthur o Lanwrtyd. Fe wnaethon ni ffilmio rhaglen awr ar Jac a Blodwen yr Hwch. Fe brynodd Jac yr hwch pan oedd hi'n fach ar gyfer ei phesgi, a ninnau'n ffilmio'r datblygiad. Erbyn i Blodwen gael ei lladd roedd hi'n 580 pwys. Roedd hi wedi dod yn ffefryn mawr ymhlith plant ond ar blât Jac y gwnaeth hi orffen ei gyrfa.

Ond y rhaglen sy'n mynnu aros yn y cof yw honno ar Don Garreg Ddu. Dyna beth oedd dyn unigryw, dyn yr hen bethe, y bladur a'r gaseg a'r cŵn a'r ffuredau. Dyna bethau Don. Eunice, ei wraig, wedyn yn un o'r rhai anwylaf erioed. Saith ohonon ni yn y criw yn y dyddiau hynny yn mynd i'r tŷ a chael ein gwala a'n gweddill o fwyd a dwsinau o baneidiau o de. Dyna un peth sy'n gyffredin ymhob man – caredigrwydd pobol. Methu gwneud digon droston ni. Mae nhw mor ffeind. Fe fydde pob cinio fel cinio Dolig.

Fe aethon ni 'nôl i Garreg Ddu i ffilmio'r meibion, Dic a Dei, neu Dico a Bando. Fe enwyd Dei yn Bando am nad oedd e' byth yn stopio siarad. Wrth iddo siarad, mae'r dwylo'n mynd, y corff yn mynd, y pen yn mynd a thynnu ei anadl fel petai ar fin mygu yn ei awydd i fynd ymlaen â'r frawddeg.

Fe es i gyda nhw i hela yng nghyffiniau Pistill Arian un prynhawn. Roedd ganddon ni bedwar ar bymtheg o gŵn yn yr hen Fiesta; Bando yn y cefn, Dico'n gyrru a fi wrth ei ymyl. Roedd y cŵn, yn Jac Rysels a whipets, wedi bod yn bwyta corwg drwy'r prynhawn ac un Jac Rysel, â'i goesau ar fy ysgwyddau i, yn pecial fel moto-beic. Dyma fynd gan ddilyn y ffordd gul a throellog am y Pistill, mor droellog â phiso mochyn sionc mewn eira. Rhwng y drewdod a'r gwres fe fu'n rhaid i fi agor y ffenest. Wrth i ni stopio mewn arosfan dyma Dei yn gweiddi fod sgwarnog yn y cae cyfagos. O glywed Dei'n gweiddi dyma'r cŵn, y pedwar ar bymtheg ohonyn nhw, yn pecial ac yn rhechen, yn neidio dros fy mhen i. Y peth cynta wnes i wedi iddyn nhw ddiflannu oedd rhoi fy llaw ar fy mhen i wneud yn siŵr fod fy ngwallt i'n dal yno.

Dal i fynd mae *Cefn Gwlad*. Yn ystod oes y rhaglen mae amaethyddiaeth wedi newid yn llwyr. Yn un peth mae aml i fart wnaethon ni ei ffilmio wedi cau ond rwy'n falch o ddweud i ni, yn ddiweddar, ffilmio mart unigryw iawn, Mart Pontarfynach. Yn un peth mae'r mart allan yng nghanol y caeau, mart a gychwynnwyd yn nauddegau'r ganrif ddiwethaf er mwyn cymryd defaid y mynydd o Gwm Ystwyth, Ponterwyd, Ffair Rhos, Pontrhydygroes a'r cyffiniau i arbed ffermwyr rhag teithio ymhell. Doedd dim loris yn y cyfnod cynnar, wrth gwrs. Mae Mart Pontarfynach yn dal i fynd tra bod rhai llawer mwy wedi hen gau. Mae eraill wedi symud allan o'r trefi, fel Mart Rhuthun a Mart Caerfyrddin. I fi, camgymeriad mawr yw mynd â'r wlad allan o'r dre gan fod y trefi o'r herwydd yn colli masnach. Pan fydde'r mart yng nghanol y dre fe fydde'r gwragedd fferm yn siopa tra oedd y dynion yn y mart.

Ond mae Mart Pontarfynach wedi cael ei achub. O osod pethau sylfaenol fel tap dŵr newydd a man golchi trêlyrs mae ei dyfodol yn ddiogel. Ydi, mae Mart Pontarfynach yn parhau. Felly hefyd *Cefn Gwlad*, gobeithio.

Eiliadau Tragwyddol

Mae cerddoriaeth yn chwarae rhan bwysig fel cefndir i raglenni *Cefn Gwlad*. Ac wrth gwrs, gan ei bod hi'n gyfres Gymraeg ry'n ni'n dewis cerddoriaeth Gymraeg. Grŵp sy'n cael ei ddefnyddio'n aml yw Côr Telyn Teilo dan arweiniad y diweddar Noel John. Dyna i chi'r rhaglen wnaethon ni ar y Doctor Patrick Thomas, er enghraifft, a oedd yn offeiriad ar y pryd yn Brechfa a Llanfihangel Rhos y Corn. Roedd ef, gyda llaw, yn cyfeirio at y lle fel Llaningel Rhos y Corn yn yr union ffordd ag y bydd pobol fy ardal i yn cyfeirio at Lanfihangel y Creuddyn fel Llaningel. Mae yna gân arbennig iawn o'r enw 'Dyffryn Cothi' sydd wedi ei recordio gan Gôr Telyn Teilo. Mae ganddyn nhw gân hefyd ar Ddyffryn Tywi. Ac ar gyfer rhaglen ar Ddyffryn Teifi fe ddefnyddion ni'r côr yn canu geiriau godidog T. Llew Jones i Gwm Alltcafan. Mae caneuon a cherddoriaeth yn gyffredinol yn chwarae rhan bwysig iawn.

Mae'r amrywiaeth o gymeriadau yn bwysicach. Mae nhw'n amrywio o rywun fel y Doctor Patrick Thomas i ryw hen of bach lleol, neu saer y pentre, neu ffermwr bach dinod; dim ond ei fod e'n gymeriad gwledig diddorol, rhywun nad oes neb wedi'i weld erioed y tu allan i'w filltir sgwâr.

Enghraifft dda oedd Elinor Williams, chwaer y cerddor enwog Meirion Williams. Roedd hi'n cadw siop yn Nyffryn Ardudwy ac roedd siop Elinor yn wahanol i unrhyw un arall yn y byd. Pan es i i'w gweld hi gyntaf er mwyn gofyn iddi a fyddai hi'n barod i gael ei ffilmio,

117

dyna ble'r oedd hi, copi o'r *Daily Post* wedi'i rolio yn ei llaw ac yn taro'r cownter â'r papur tra'n penderfynu a gytunai neu beidio. 'Tybed, tybed a wnaf fi raglen fydd yn datgelu fy nghartra i'r byd?' Dyna oedd ei chwestiwn mawr hi. A dyma hi'n edrych arna'i a dweud: 'Wel, iawn, mae'n bosib y gwna i raglen, felly.'

Profiad mawr fu cael ffilmio Elinor. Roedd hi'n rêl siop-feistres a hanesydd bro, yn mynd â'r papurau o gwmpas ar ei beic. Cyn iddi gael ei gweld ar *Cefn Gwlad* rwy'n amau'n fawr a oedd unrhyw un wedi'i gweld hi y tu allan i'w bro, er ei bod hi'n chwaer i un o gerddorion enwocaf Cymru. Fe aeth â fi i'r lleoliadau lle'r oedd ei brawd wedi cael ei ysbrydoli i gyfansoddi darnau fel 'Pan Ddaw'r Nos'. Fe'i hysgrifennodd ar blatfform stesion y Dyffryn tra'n disgwyl trên i fynd 'nôl i Lunden. 'Y Blodau ger y Drws' wedi'i chyfansoddi am ardd tyddyn bach yn nhopiau'r Dyffryn. Fe ganodd hefyd am Gwm Pennant, wrth gwrs. Rwy'n cofio cael cyngor gan rywun unwaith: 'Os wyt ti'n bwriadu canu "Cwm Pennant" rhaid i ti fynd yno yn gyntaf.'

Dennis y Crydd Llangadog, Huw a Catrin Cwm-ffernol, Jac Arthur, Joni Moch, Don Garreg Ddu, Harold Rhanhir. Dyna'r bobol. A dyna sut mae'r gyfres *Cefn Gwlad* wedi ennill ei phlwyf, drwy ymweld â phobol fel y rhain yn eu cynefin.

Yn yr un llinach roedd Wmffra'r Hendre. Hen lanc yn byw ar ei ben ei hun ar fferm dwt a destlus, gyda phopeth yn ei le. Roedd e'n cadw ieir ac roedd am i ni ffilmio'r ieir yn dod allan o'u cwt, ond rown nhw'n gwrthod dod allan gan ei bod hi'n ddiwrnod oer. 'Oes gynnoch chi gamera'n barod?' gofynnodd Wmffra. 'Oes,' meddwn i. 'Iawn, watsiwch y twll 'na. Fe ddown nhw allan.' I mewn ag Wmffra i'r cwt. Wn i ddim be' wnaeth e', ond dyma nhw'n dod allan fel petai awyrennau jet Aberporth wrth eu tinau. Ond cyn i ni orffen drwy droi'r camera at yr iâr ola i ddod allan, dyma ben Wmffra'n ymddangos yn y twll ac yn gofyn yn ddiniwed, 'Popeth yn iawn?'

Roedd y ddau ohonon ni wedi bod yn carthu o dan y lloi. Bydde Wmffra'n arfer glanhau'r bicwarch â'i ddwylo wrth siarad ac, ar ôl llenwi hen spredar bach y tu ôl i'r Ffyrgi, dyma fy ngwahodd i i'r tŷ am baned. Fe roddodd y tegell ar y tân a, heb feddwl ddwywaith am olchi ei ddwylo, dyma fe'n mynd ati i dorri bara menyn i fi. 'Ydi chi'n hoffi triog?' gofynnodd. 'Rwy'n un sy'n hoffi brechdan driog.' Roedd ganddo driog du mewn tun a dyma fe'n taenu hwnnw ar y frechdan – yn dal heb olchi'i ddwylo!

Ar gyfer diwedd y rhaglen roedd Wmffra wedi cyfansoddi pennill, rhyw hunangofiant, ac mae llawer o'r gwylwyr yn cofio am hyn. Roedd e'n meddwl y byd o'r hen ast, Del, ac roedd y pennill yn ei ragweld e' wedi symud i gartre'r henoed ac yn gofyn be' ddigwyddai i Del. Wrth iddo orffen dyma fe'n troi at yr ast ac yn dweud, 'Del fach, ffyddlon wyt ti.' Ac ar yr eiliad honno fe osododd yr hen ast ei phawen ar ei gap, golygfa na wnâ' i byth mo'i anghofio. Wnaiff unrhyw un a welodd y rhaglen fyth ei anghofio, chwaith.

Roedd Wmffra wedi cael ei ddylanwadu'n fawr gan Tom Nefyn ac roedd yn aelod a blaenor yn ei gapel yn Edern, ym Mhen Llŷn. Pan wnaethon ni ei ffilmio yn y sêt fawr fe drodd ata'i a gofyn yn syml, 'Fasa wahaniaeth gynnoch chi, Dei Jones, 'mod i'n gweddïo?' Ac mi weddïodd cystal ag unrhyw bregethwr cyrddau mawr.

Diwedd digon trist gafodd Wmffra. Roedd e'n mynd am ginio Nadolig at berthynas neu gydnabod ac wedi troi'r gwartheg allan i'r dŵr ac wedi gosod bwyd iddynt. Wrth fynd allan i'w nôl o'r iard fe gafodd strôc. O'i weld e'n hwyr yn dod am ei ginio Nadolig aethpwyd i chwilio amdano, a dyna lle'r oedd e'n gorwedd ynghanol y gwartheg. Aed ag ef i'r ysbyty. Pan ddaeth allan bu'n rhaid iddo fynd i gartre ym Morfa Nefyn ac fe alwais yno droeon i'w weld. Roedd e'n hoffi losin ac fe es â phecyn o Quality Street iddo unwaith. 'Agorwch ryw ddwsin, Dei Jones,' medde fe. A diawch, roedd e'n bwyta. Rhwng clebran a bwyta fe fu bron iddo dagu ac fe drodd ei wyneb e'n biws. 'Hitiwch o yn ei gefn,' medde rhyw fenyw yn y gwely nesa. 'Fedar y diawl ddim siarad a bwyta yr un pryd.' A dyna wnes i a fe gliriodd yr ergyd ei wddw. Tasgodd y telpyn losin mas fel bwled. 'Ew,' medde Wmffra, 'fe fu bron i mi farw fan'na, Dei Jones.' Chwerthin mawr wedyn.

Un arall o'r werin gyffredin ffraeth i gael ei ffilmio oedd Wil Llannor. 'Sut wyt ti, Taffy boi?' Dyna'i gyfarchiad bob amser. Roedd ganddo fe gi oedd yn canu i fiwsig piano. Bob tro y bydde Wil yn fy ffonio, fe fydde fe'n rhoi Mot ar y ffôn, Wil yn dal y ffôn a Mot yn mynd 'Wff! Wff!' Bydde'r ddau yn mynd i Gartre Morfa Nefyn i ddiddanu'r trigolion, Wil yn chwarae nodau ar y piano, unrhyw nodau, doedd y dôn ddim yn bwysig, a Mot yn canu!

Roedd gan Wil hen Austin A30 a hen fen A55 ac roedd e'n honni bod yn ddyfeisiwr mawr. Dyfeisiodd anferth o drap i ddal brain ond dwi ddim yn meddwl y dalie fe frân hyd yn oed petai ni yno am byth. Fe fydde'n rhaid i'r frân ddisgyn ar gortyn er mwyn i Wil glywed cloch yn canu yn y tŷ, yna fe fydde fe'n mynd allan a thynnu'r cortyn er mwyn cau'r trap.

Y pethe mae'r gwylwyr yn dueddol o'u cofio orau yw'r troeon trwstan. Fy nghofio fi'n disgyn ar fy nhin yn yr eira. Fy nghofio ar fy nhin yn y dŵr. Fy nghofio'n cael ofn cathod. Anghofia'i byth 'mo cath Marged Edwards wrth i ni ffilmio Trebor Edwards. Yn gynta fe ges i sioc wrth symud ffens drydan. Ydw, er 'mod i'n ffermwr, rwy ofn ffens drydan hefyd. Wrth iddi dywyllu'r noson cynt fe ddwedes i y bydde'n rhaid symud y ffens bore wedyn, gan rybuddio pawb i'w throi hi bant cyn hynny. Trannoeth fe ddangoswyd y bocs rheoli i fi, a hwnnw wedi'i droi bant. Roedd y gwartheg yn y cae, felly roedd yn rhaid i ni fod yn reit handi wrth ei symud. Ond yr hyn na wyddwn i oedd fod yna focs arall yng ngwaelod y cae, a hwnnw wedi'i gysylltu wrth y ffens. 'Symud y ffens ymlaen, Dai,' medde Treb. Fe gydiais i yn y polion plastig rhag ofn. Ond pan ddaeth y gwartheg ar fy ngwartha i fe fu'n rhaid i fi gydio yn y weier er mwyn ei thynnu hi'n dynn. A dyma glec a dyma naid. Fe fu bochau 'nhin i yn chware am wythnos.

Ar yr un rhaglen fe fuom yn ffilmio Côr Bro Gwerfyl, a rhaid oedd cyfweld Marged yn ei chartref. Cnocio ar y drws, ac roedd yno gath fach, dim o beth, fawr iawn mwy na gwahadden ac roedd hi'n mynnu fy nilyn i ble bynnag yr awn i. Erbyn hyn rown i wedi cymryd tua pymtheg 'take' aflwyddiannus, diolch i'r gath. 'Rhaid i ni gael gwared o'r gath yma, Marged,' medde fi. 'Fedra i ddim mynd yn agos ati. Amen.' Fe gaeodd Marged y gath yn y tŷ glo a fe aeth y ffilmio ymlaen heb unrhyw drafferth. Ond a ninnau bron â gorffen y shot, fe deimlais rywbeth yn dringo i fyny fy nghoes. A dyma gicio a strancio, a'r gath yn dal ei gafael yn fy nhrowser i. Fe fues i bron â ffeintio.

Rwy'n cofio ffilmio gyda Dai Arthur, brawd Jac Arthur, yn Llanwrtyd yn mynd â defaid hanner dof i lawr i'r buarth. Y bwriad oedd eu ffilmio nhw'n mynd heibio'r tŷ a fyny dros yr afon i'r cae y tu ôl i'r tŷ. Ond yn lle hynny fe aeth y defaid i mewn drwy ddrws y ffrynt, rhai ohonyn nhw'n mynd i fyny i'r llofft, eraill o dan y dreser drwy ganol y llestri. Ac ar ôl creu llanast, allan â nhw drwy ddrws y bac i'r cae cefn.

Un o'r troeon mwyaf trwstan fu hwnnw pan own i'n ffilmio masnachwr o'r enw John Long yn Galway, y ddau ohonon ni'n sefyll y tu ôl i wal gerrig. Dyna lle'r own i'n canmol crefft y Gwyddelod yn codi wal sych tra roedd John yn ceisio tynnu fy sylw i at rywbeth. Fe anwybyddes i fe a mynd ymlaen â'r sgwrs. Dyma fe'n sibrwd eto, a finne'n ei anwybyddu. Yna, yn sydyn, dyma tua deg llathen o'r wal yn disgyn wrth ein traed ni, disgyn yn union fel muriau Jerico. Ches i ddim mwy o sioc yn fy mywyd.

Roedd llawer o hiwmor y Gwyddel yn nghymeriad Teifi Llwyn Pur yn Horeb, Llandysul. Ffermwr cobiau a ffermwr llaeth oedd Teifi. Roedd e'n enwog am fynd o gwmpas carnifals gan wisgo lan, yn aml fel ficer. Weithiau fe alwai mewn ysbytai i weld y cleifion wedi'i wisgo fel ficer ac fel rhan o'r wisg roedd ganddo fe set o ddannedd mawr fel rhai Ken Dodd. Fe fydde'n mynd o gwmpas y cleifion gan ei gyflwyno'i hun fel Y Parchedig Teifi Jones o Horeb. Câi fynd i mewn a chael paned o de a bisgits am fod pawb yn meddwl mai offeiriad go iawn oedd e', pawb ond y cleifion oedd e'n mynd i'w gweld, wrth gwrs. Enw'r ardalwyr arno oedd Esgob Bangor Teifi.

Fe fydde hefyd yn gwisgo fel yr Indiaid hynny a arferent fynd o gwmpas Cymru yn eu tyrbans, gyda'u cesys llawn dillad. Bydde'n mynd â'i gês i fart ceffylau Llanybydder bob dydd Iau ola'r mis ac yn gwerthu teis. Un tro fe aeth yno yn ei ddillad ei hunan a dyma fe'n gweld Charlie, yr arwerthwr, yn gwisgo tei roedd Teifi ei hun wedi'i gwerthu iddo fis yn gynharach. 'Diawch, ma' tei neis 'da chi, Charlie.' 'Oes,' medde hwnnw, 'fe wnes i ei phrynu hi gan ryw blydi Indian fan hyn yn y mart diwetha.' Wydde fe ddim mai Teifi oedd y 'blydi Indian'.

Aeth i lawr i ardal Caerfyrddin i ryw garnifal neu'i gilydd, a mynd o gwmpas rhai o fenywod yr ardal i gael benthyg dillad isa crand, yn nicyrsus a bras lliwgar, i'w rhoi yn ei gês. Fe ddwynodd rhywun ei gês a doedd ganddo ddim byd i'w rhoi 'nôl i'r merched. Fe fu'n rhaid iddo fe fynd i Marks and Spencers Caerfyrddin yr wythnos wedyn i brynu rhai newydd iddyn nhw. Aeth y stori ar led ac fe fu'r digwyddiad yn destun cerddi yn y papurau bro am fisoedd.

Fe fydde Teifi yn gwisgo lan fel tramp weithiau ac fe wnaeth hynny ar y rhaglen. Mae Horeb ar y briffordd rhwng Banc Siôn Cwilt a Llandysul ac mae 'na groesffordd brysur yno, un ffordd yn arwain i Gastellnewydd, un i Landysul, un i Fanc Siôn Cwilt a'r llall ar ei phen am Lanwenog. Yng nghanol y prysurdeb dyna lle'r oedd Teifi, wedi'i wisgo fel tramp ac yn ganiau i gyd, yn bodio. Gan ei fod e'n dal y drafnidiaeth lan a phawb yn meddwl mai tramp go iawn oedd e', gwaeddodd un gyrrwr arna i: 'Sdim llawer o rheina i'w gweld y dyddiau hyn.'

Ond wnâi Teifi byth weithio ar y Sul gan ei fod e'n eglwyswr pybyr ac yn parchu'r Sabath. Roedd ganddo gae wrth ymyl tref Llandysul ac, er fod y gwair yn barod i'w fyrnu ar y nos Sadwrn, wnâi e' ddim cyffwrdd ag ef ar y dydd Sul. Fe'i gadawodd tan y dydd Llun ond fe aeth rhai o'r bois lleol ati i fyrnu'r gwair a'i stacio ar y Sul. Fe gafodd pawb sioc o feddwl fod Teifi, o bawb, wedi bod yn cynaeafu ar y Sul. Dim ond yng nghefn gwlad Cymru y gallai rywbeth fel'na ddigwydd.

Rhaglen wahanol hefyd oedd honno ar Gino Vassami, oedd yn byw fferm neu ddwy oddi wrth Teifi, i lawr yng Nghapel Cynon. Roedd tad Gino wedi dod i'r fro fel carcharor rhyfel, a Gino wedi dysgu Cymraeg ac yn siarad yr iaith yn berffaith. Roedd ganddo fuches dda ac roedd mab ei chwaer yn ffermio gydag ef, ffermwr gwych ac adeiladydd a gododd fyngalo a'i werthu er mwyn prynu fferm.

Roedd Gino a'i deulu yn byw fel Eidalwyr, bwyta bwyd Eidalaidd a hyd yn oed yn gwneud gwin Eidalaidd. Eidales yw ei wraig Grace hefyd, sy'n ferch hyfryd. Ar ôl ei ffilmio adre fe aethon ni â nhw 'nôl i Ogledd yr Eidal, i'w bro genedigol, ac roedd yn brofiad bythgofiadwy. Cael mynd i'r ardal fach dlodaidd yr olwg, dillad yn hongian o'r balconis, faniau yn mynd o gwmpas yn gwerthu dillad fel faniau Bon Marchc gynt yn Sir Aberteifi, a faniau'n gwerthu bwyd. Roedd man cyfarfod yng nghanol y pentre i bawb gymdeithasu gyda'r nos. Fe gafodd y rhaglen argraff fawr ar y gwylwyr, cael gweld lle cafodd ei eni a'i fagu, a'i hen ewythrod yn dal i weithio. Ardal dlodaidd ond pobol hapus eu byd.

Digwyddiad arall sy'n dod i'r cof yw hwnnw yn Sioe Geffylau Peterborough. Hen foi yn ceisio mynd a'i geffyl i mewn, heb ganiatâd, drwy le glân yn hytrach na baeddu traed y ceffyl. A stiward o Gymro – a dim yn aml y cewch chi stiward o Gymro yn Peterborough – yn ei gôt wen a'i het bowler a'i fathodyn, yn dangos ei awdurdod ac yn ceisio'i atal. Yr hen foi yn mynnu dod drwyddo a'r stiward yn dweud wrtho: 'Hei, gwranda, wyddost ti ddim fod yna bŵer y tu ôl i'r bathodyn yma?' 'Falle bod yna bŵer y tu ôl i'r bathodyn,' medde'r hen foi, 'ond does diawl o ddim o dan yr het.'

Cymeriad arall wnaethon ni ei ffilmio oedd Emrys Douch a'i holl beiriannau symud tir. Daeth Emrys yn amlwg iawn tra'n clirio'r tir yn Sir Gaerfyrddin ar gyfer gwneud yr M4. Doedd ganddo ddim llawer o amynedd i wneud y rhaglen, ond mi wnaeth. Roedd e' eisie mynd o hyd, dyn ar gerdded drwy'r dydd, bob dydd a heb fod yn hoff iawn o ffwdan. Roedd ganddo fferm ar dop Pontyberem ac fe aethon ni yno i weld y gwartheg Charolais. Cawsom wahoddiad i'r tŷ i gael paned a ninnau'n meddwl y bydde hyn yn gyfle da i ffilmio sgwrs. Ar y ffordd i'r tŷ roedden ni'n gorfod pasio'r peiriannau anferth ar gyfer symud tir, a'r cyfan oedden ni ei angen oedd i Emrys ddweud, 'Dere i'r tŷ i gael te, Dai.' Fe basiodd awyren, a gorfod i ni ail-wneud. Fe aeth yr haul tan gwmwl, ail-wneud eto. Fe aeth y batri, gwneud eto. Awyren arall yn pasio, gorfod gwneud eto. O'r diwedd fe gafwyd tawelwch a'r Cyfarwyddwr yn dweud: 'Nawr 'te, Emrys, ar ôl tri… Ac Emrys yn cyhoeddi, 'Dewch i'r te i gael tŷ, Dai.' Yn y tŷ, wrth i ni ddechre sgwrsio fe gollodd ychydig o de ar y bwrdd, a'i wraig wedi ei rybuddio rhag gwneud llanast o flaen y camera. 'Damio,' medde Emrys gan dynnu'i gap a'i ddefnyddio i sychu'r bwrdd. Be' wnâi Cymro o gefn gwlad heb ei gap?

A'r dywediadau wedyn. Don Garreg Ddu heb fod ar wyliau erioed – dim ond pedwar diwrnod gafodd e'n rhydd adeg ei briodas. Finne'n gofyn iddo: 'Hoffech chi gael gwyliau, Don?' 'Hoffwn, fe hoffwn i fynd.' 'I ble?' 'Hoffwn i gael wythnos yn Awstralia.' Diawl, fe gymerai wythnos iddo deithio yno ag yn ôl.

Ffilmio Dylan Llwyni Hirion wedyn ar y Preselau. Roedd e'n mynd â'r teirw duon i ffwrdd i Gaerliwelydd yr wythnos wedyn. Fydden ni ddim yno i weld hyn yn digwydd felly dyma gymryd arnom fod y peth yn digwydd wythnos yn gynharach. Dyma ddweud ein bod ni am eu llwytho nhw i'r lori a Dylan yn methu deall sut fedren ni lwytho'r teirw wythnos ymlaen llaw. Ar ôl i ni ffilmio hyn fe fynnodd Dylan ffilmio'r cyfan eto. Pam? Am nad oedd e' wedi dweud 'Ta-ta' wrth y teirw. 'Fedra'i ddim meddwl eu danfon nhw i Carlisle heb ddweud ffarwél wrthyn nhw, neu fe fydd pobol yn meddwl ein bod ni'n gas wrth ein gilydd,' medde Dylan. A ninnau'n gorfod ail-lwytho'r teirw er mwyn i Dylan gael dweud 'Ta-ta'.

Rhaglen ar blant Brychyni wedyn. Seimon sydd tua tair oed ac yn un o ddeg o blant, yn mynd yn y Land Rover gyda'r tad a'r fam a'r nain. Seimon oedd yr olaf i fynd i mewn a dyma fe'n gweiddi: 'Ta-ta, Dei Jones.' Doeddwn i ddim i fod yno a dyma ofyn i Seimon beidio â ffarwelio â fi'r tro nesa. I mewn â nhw eto, a finne'n sefyll mor bell yn ôl ag y medrwn i. Yr un peth eto, 'Ta-ta, Dei Jones'. Y tro nesa fe es i i'r tŷ o'r golwg, ac i mewn â nhw i'r Land Rover unwaith eto. Roedd pethe'n edrych yn addawol gyda Seimon ar fin mynd i mewn ond dyma fe'n troi ac yn bloeddio'r tro hwn, 'Ta-ta, Dei Jones!' A fe gafodd ei ffordd, fe gadwyd ei ffarwél ar y ffilm.

Mae plant wrth eu bodd gyda *Cefn Gwlad*. Mae sawl athro wedi dweud wrtha'i fod y rhaglen yn destun trafod ymhlith y plant ar ambell fore Llun. Yr hyn sy'n gwneud i fi deimlo'n dda yn y Sioe Frenhinol yw gweld teuluoedd cyfan, a'r plant bach yn tynnu ar gôt eu tad neu ar sgert eu mam a dweud: 'Mam, dad, ma' Dai Jones yn dod.' Mae hynny'n rhoi rhyw bleser arbennig iawn i fi.

Dyna i chi hanes Jac Arthur wedyn, ar ddiwrnod lladd Blodwen yr hwch. Fe gymerodd hi drwy'r dydd i ni geisio cael Blodwen i'r trêlyr ar gyfer mynd â hi i'r lladd-dy. Methu wnaethon ni. Roedd hi'n codi'r gatiau ac yn ein codi ni gyda'r gatiau. Daeth Jac i benderfyniad erbyn amser te. 'I ddiawl â hyn,' medde fe. 'Os na aiff Blodwen at y bwtsiwr fe ddown ni â'r bwtsiwr at Blodwen.' A dyna wnaethon ni.

Fe gawson ni lawer iawn o ymateb i'r rhaglen honno, plant wrth eu bodd yn gweld Blodwen ac mae hyn yn gyffredin yn dilyn rhaglenni am greaduriaid.

Dyna ddigwyddodd gyda Bess, hen gaseg ffyddlon Don Garreg Ddu. Pobol yn ysgrifennu ac am gael llun ohoni. Mae pobol hefyd yn galw i weld y rhai sy' wedi cael eu ffilmio, neu yn eu ffonio. Mae'r ymateb yn anhygoel.

Un poendod wrth ffilmio yw'r angen i gadw'r un dillad. Gair mawr ffilmio yw 'continuity'. Mae'n rhaid, felly, prynu dau o bob peth – dau grys, dau droswer ac yn y blaen – i wneud yn siŵr fod y 'continuity' yn iawn.

Un peth anodd yw fod pobol weithiau, wrth i fi eu holi, yn torri i lawr neu'n mynd yn ddagreuol. Hynny, hwyrach, am fod *Cefn Gwlad* yn medru bod yn agos iawn at eu bywyd bod dydd. Dyna i chi Aled Griffiths, un o ffermwyr da pluog mwyaf Sir Amwythig – bachgen o Benmaen-mawr yn wreiddiol – yn adrodd fel y gwerthodd ei fam bopeth oedd ganddi er mwyn rhoi cychwyn iddo fe. Mi aeth ail-adrodd yr hanes yn drech nag e'. A dim rhyfedd hynny.

Mae gweithio ar *Cefn Gwlad* yn fraint ynddi ei hun, ond mae ambell anrhydedd yn eisin ar y gacen. Diolch i'r rhaglen rwy' wedi cael cyfarfod â phobol enwog iawn, y Frenhines, ei mam, Tywysog Cymru ac, wrth gwrs, y Dywysoges Ann, hynny yw, Mrs Phillips. Cael fy ngwneud wedyn yn Gymrawd o'r Sioe Frenhinol am fy nghyfraniad yn dod â'r bywyd gwledig i aelwydydd pobol. Ennill gwobr hefyd gan Undeb Amaethwyr Cymru am raglen amaethyddol orau'r flwyddyn. Gwobr gan BAFTA wedyn am y gyfres *Away with Dai*. Ennill y wobr am raglen gomedi'r flwyddyn ar ôl bod ar y piste, a gwobr am y rhaglen ddogfen amaethyddol orau am un rhifyn arbennig o *Cefn Gwlad*. Ac, ar ben y cyfan, ar ben-blwydd S4C yn ugain oed fe bleidleisiodd y genedl ar ei hoff raglen, a *Cefn Gwlad* ddaeth ar y brig. Mae'r rhain yn anrhydeddau i'r criw yn gyfan. Nid gwaith un dyn yw *Cefn Gwlad* ond gwaith tîm.

Ond, yr anrhydedd mwyaf yw cael bod yn rhan o raglen sydd ynghlwm wrth y werin Gymraeg. Fedrwn i ddim breuddwydio am gael anrhydedd mwy na hynny.